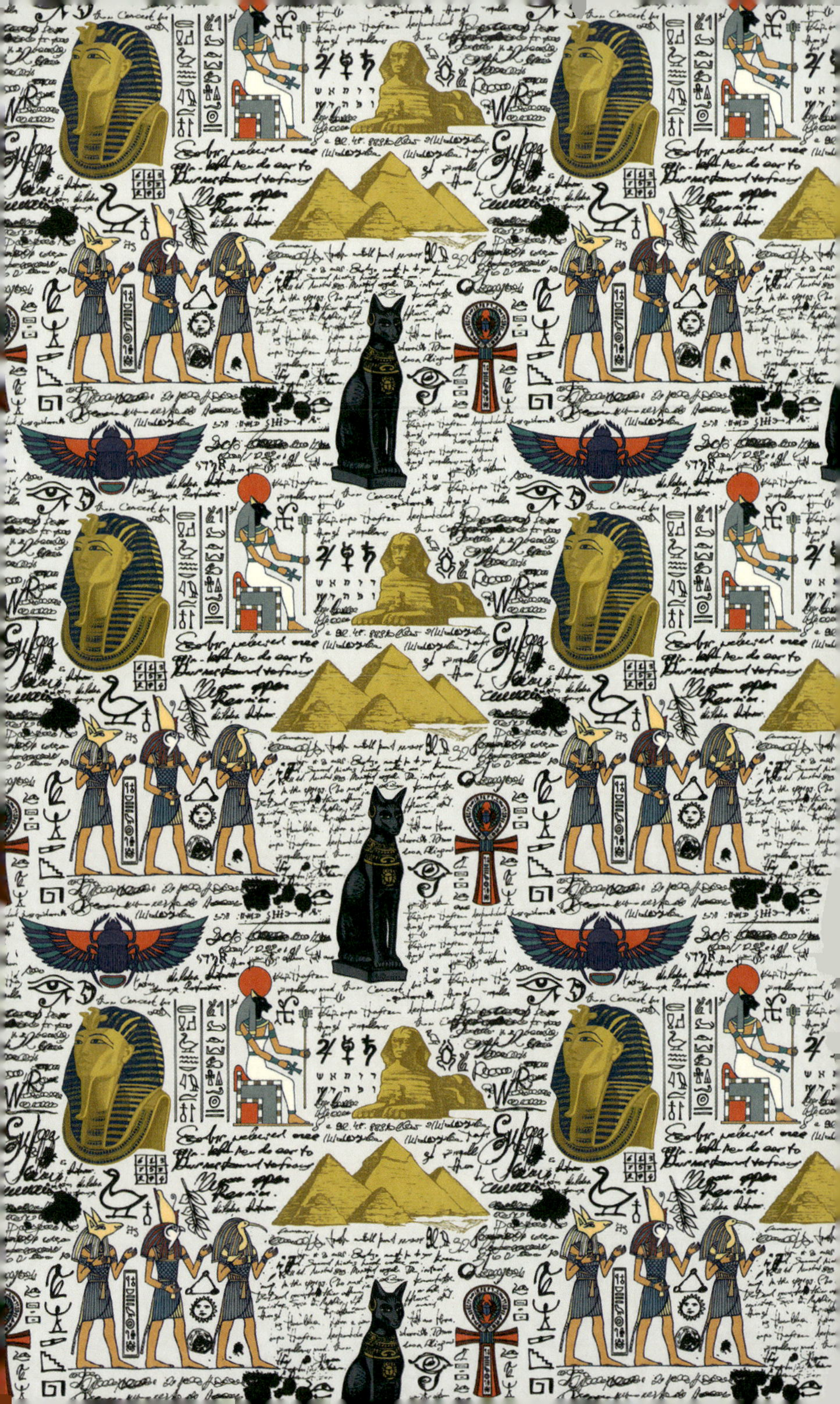

Copyright © 2022 Pandorga
All rights reserved.
Todos os direitos reservados.
Editora Pandorga
2ª Edição | **Outub**ro de 2023

Diretora Editorial
Silvia Vasconcelos

Coordenador Editorial
Michael Sanches

Assistente Editorial
Beatriz Lopes

Capa
Lumiar Design

Projeto gráfico e Diagramação
Rafaela Villela
Livros Design

Organização:
Juliana Garcia

Revisão
Michael Sanches

PandorgA

Dados Internacionais de Catalogação na Publicação (CIP) de acordo com ISBD

P197	O panteão egípcio / organizado por Juliana Garcia. – Cotia, SP : Pandorga, 2022. 240 p. ; 14cm x 21cm. – (Egípcios ; v.1)
	Inclui índice. ISBN: 978-65-5579-179-2
	1. Mitos e lendas. 2. Egito. 3. Antigo. 4. Cultura. I. Garcia, Juliana. II. Título. III. Série.
2023-2009	CDD 398.22 CDU 398.2

Elaborado por Vagner Rodolfo da Silva - CRB-8/9410
Índices para catálogo sistemático:
1. Mitos e lendas 398.22
2. Mitos e lendas 398.2

O PANTEÃO EGÍPCIO

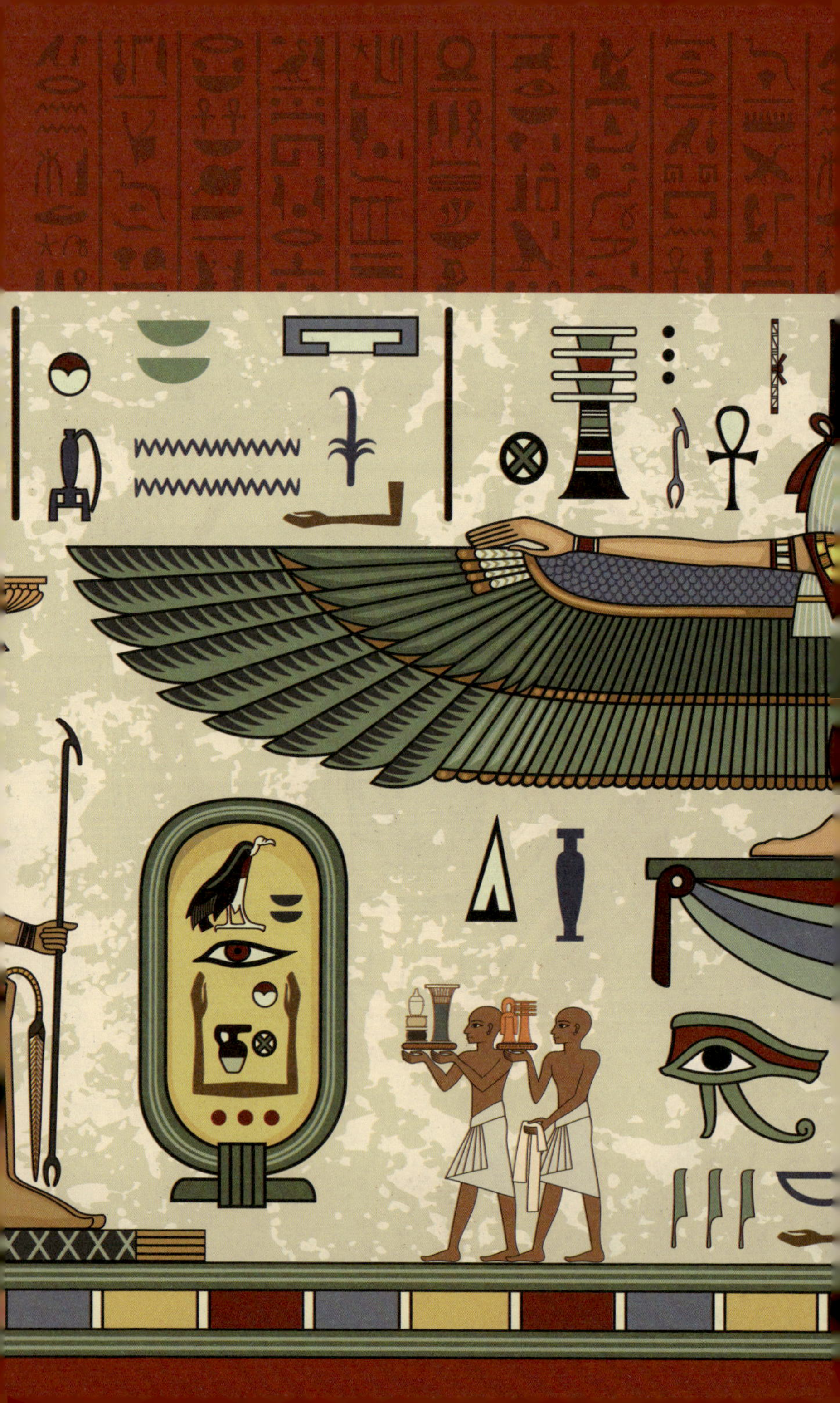

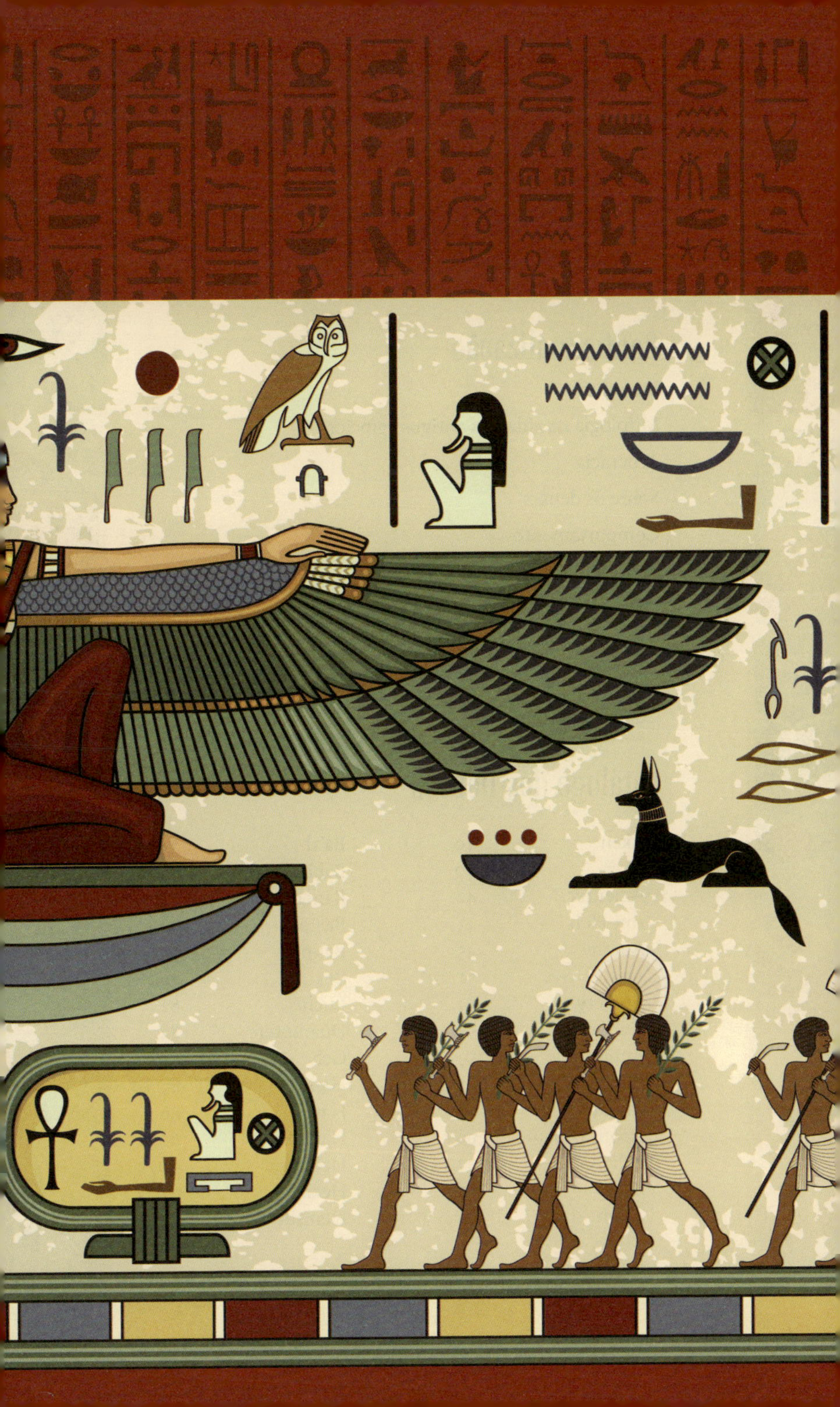

SUMÁRIO

Contextualização

Introdução	9
Mitologia na vida dos antigos egípcios	11
Teocracia	13
Sobre os deuses	15
Comportamento	21
Representações	22
Intercambiamento de funções e emaranhamento de Deuses	24
Sobre a complexidade das relações	26
Sobre os cultos	29
Conclusões finais	34

Catálogo dos Deuses

Aken	40	Ba'al	73
Aker	40	Babi (Baba)	74
Amentet	42	Banebdjedet	74
Am-Heh	43	Bastet	76
Ámon	45	Bennu	79
Anat	52	Bes	79
Andjety	54	Buchis	82
Anhur	58	Duamutefe	82
Anput	59	Geb	83
Anúbis	61	Hapi	85
Anuket	65	Hator	86
Apófis (Apep)	66	Hatmehyt	90
Ash (As)	67	Hedjedet	90
Áton	67	Heka	92
Atom	71	Hemsut	94

Hequet	94	Nut	158
Hesat	95	Osíris	163
Hórus	96	Ptá	166
Huh	103	Qetesh	168
Iabet	104	Rá	170
Iah	105	Renenutet	173
Imhotep	106	Renpet	176
Imiut	108	Reshep	176
Ísis	109	Sah	178
Kek	112	Satet	179
Khepri	113	Sekhmet	181
Kherty	118	Sepa	185
Khnum	118	Serket	186
Khonsu	121	Seshat	190
Maahes	122	Set	193
Ma'at	126	Shai	197
Mahaf	128	Shu	199
Menhit	128	Sia	201
Meretseger	129	Sobek	202
Merkhenet	132	Sokar	205
Min	136	Sopdet (Sothis)	208
Montu	139	Taweret	210
Mut	141	Tayet	215
Naunet	144	Tefnut	216
Nefertum	145	Tjenenet	217
Nehmetawy	149	Thoth	218
Neith	150	Wadjet	224
Nekhbet	153	Weret-hekau	228
Néftis	154	Wepwawet	229
Nun	157		

Referências   233

CONTEXTUALIZAÇÃO

Introdução

Os antigos egípcios entendiam a vida na Terra apenas como parte de uma jornada eterna. Para continuar essa jornada após a morte, entretanto, era necessário ter vivido uma vida digna de continuidade.

Para estudar a mitologia de um povo a fundo, é primordial conhecer melhor sua cultura, sua organização social e como certos conceitos-chave eram entendidos. Ao falarmos da antiga religião egípcia, estamos falando de crenças e rituais politeístas inseridos em um intrincado sistema do qual não só faziam parte, mas eram a base da cultura daquela sociedade. Ela influenciava quase todos os aspectos da vida cotidiana e ia muito além da crença em forças superiores ou o que a sociedade ocidental moderna entende por "religião", isso inclui a astronomia, a medicina, a geografia, a agricultura, a arte e o direito civil. Praticamente todos os aspectos da cultura e da civilização egípcia eram manifestações de suas crenças religiosas.

Muitas das informações que chegam aos livros didáticos, ainda que não estejam totalmente incorretas, acabam passando por uma considerável distorção devido à visão eurocentrista de onde grande parte dos estudos partem. Outro fator apontado por especialistas para uma possível distorção é o fato de que a egiptologia permanece um estudo que recorre predominantemente a documentos escritos na língua egípcia.¹ Neste caso, a disciplina torna-se facilmente isolada e limitada, perdendo as vantagens dos estudos interdisciplinares, já que fontes escritas muitas vezes se entrelaçam com a arte figurativa e só podem ser entendidas no contexto arquitetônico.²

Ao falarmos de Egito, estamos falando de um conjunto de crenças e práticas que atravessaram um intervalo de tempo muito grande: mais de 3 mil anos. Soma-se a isso, a considerável extensão geográfica que o Império Egípcio alcançou. Em sua extensão máxima, espalhou-se em direção a todos os pontos cardeais: de Norte a Sul, da costa síria à Núbia, e de Leste a Oeste, do Mar Vermelho ao deserto da Líbia. Por essa razão, fazer uma análise total de um recorte de tempo e espaço tão abrangente seria, sem dúvidas, impossível, assim como seria igualmente inconcebível enumerar ou reduzir a uma simples listagem um sistema ultra complexo de divindades que emergiram, mesclaram-se, fundiram-se e caíram em decadência em momentos diferentes da história egípcia.

Na antiga religião, divindades individuais poderiam, por exemplo, fundir-se temporária ou permanentemente umas às outras para formar emaranhamentos de deuses (Amon-Rá, Rá-Horakhty, Ptá-Socáris-Osíris, etc), que combinavam elementos dos deuses individuais, ou ainda, poderiam se fragmentar em uma multiplicidade de formas (Ámon-em-Opet, Ámon-Ka-Mutef, Ámon de Ipet-swt), cada uma das quais tendo um culto e um papel independente.³ Novos deuses

---

[1] FITZENREITER, M. *Zum Toteneigentum im Alten Reich*. v. 4. Schriften zur Ägyptologie. Berlim: Achet Verlag, 2004.

[2] QUIRKE, S. *Exploring Religion in Ancient Egypt*. Oxford: Wiley-Blackwell, 2015.

[3] ECUIP – DIGITAL LIBRARY. *Religion in the Lives of the Ancient Egyptians*. Disponível em: <https://ecuip.lib.uchicago.edu/diglib/social/ancientegypt/religionegypt/religion_pg02.html>. Acesso em: 15 set. 2021.

eram adotados enquanto alguns perdiam popularidade, divindades locais passavam a ser conhecidas por todo o império, enquanto outras, antes amplamente conhecidas, acabavam se restringindo a locais mais específicos. Relacionamentos e famílias se formavam e se desfaziam, filhos passavam a ter pais diferentes em conjunturas cujo olhar moderno ocidental não está muito acostumado a ver. Cobrir um sistema tão complexo de tantos anos de civilização em espaço limitado é uma tarefa desafiadora. Entretanto preparamos para você, leitor, um panorama conciso, porém com informações precisas e acuradas, baseadas nas pesquisas de grandes especialistas e pesquisadores da antiga religião egípcia.

Mitologia na vida dos antigos egípcios

Como explica Joshua J. Mark, diretor do site *Ancient History Encyclopedia*, "A existência humana era entendida pelos egípcios como apenas um pequeno segmento de uma jornada eterna presidida e orquestrada por forças sobrenaturais nas formas das muitas divindades que compunham o panteão egípcio"[4].

Os antigos usavam a religião e o que aprendiam da mitologia como base para tudo o que faziam e para garantir serem dignos de uma vida após a morte. Era de crença comum para eles que o Egito refletia o cosmos, e as estrelas e constelações que viam à noite influenciavam a personalidade e

---

4 JOSHUA, M. *Uma introdução à Mitologia Egípcia*. Apaixonados por história. Disponível em: <https://www.apaixonadosporhistoria.com.br/artigo/149/uma-introducao-a-mitologia-egipcia>. Acesso em: 15 set. 2021.

o destino dos humanos. Acreditava-se também que nunca estavam sozinhos no universo, porque os deuses estavam constantemente os observando, protegendo-os e guiando-os. O caminho de uma pessoa era eterno, mesmo que parecesse finito aos nossos olhos na vida terrena. As divindades eram, portanto, onipresentes e viviam ou se manifestavam em uma profusão de lugares, como em construções, imagens, textos e eventos.[5]

O universo para o homem egípcio antigo compreendia o céu, a Terra e o submundo — todos eram parte da criação e rodeados pela escuridão eterna e sem forma que existia antes de tudo ter sido criado. Embora se tratassem de áreas separadas, todas as esferas eram permeáveis aos deuses e aos mortos.

Os humanos observavam cuidadosamente o ambiente ao seu redor. Apreciavam a luz do sol, o ciclo solar, o conforto proporcionado pelos ritmos regulares da natureza e o ciclo agrícola em torno das cheias do Nilo. Tentavam, como era comum nas sociedades antigas, explicar os fenômenos cósmicos através da teologia e de uma série de metáforas, porém fazendo um uso particularmente forte da representação visual para transmitir suas ideias.

Uma das partes mais importantes da interpretação egípcia do cosmos era a sua peculiar concepção de tempo. Os egípcios entendiam o tempo como algo linear e cíclico, totalmente relacionado à manutenção de *Ma'at*, a ordem cósmica. A cada fim de ciclo, *Ma'at* era renovada por eventos periódicos que ecoavam a criação original, como a jornada diária do deus sol Rá ao submundo e a cheia anual do Nilo, por exemplo.

---

5   KAELIN, O. *Gods in Ancient Egypt*. Disponível em: <https://oxfordre.com/religion/oso/viewentry/10.1093$002facrefore$002f9780199340378.001.0001$002facrefore-9780199340378-e-244>. Acesso em: 15 set. 2021.

Vale lembrar, entretanto, que nos chegou até a contemporaneidade uma compreensão parcial sobre as práticas religiosas dos antigos egípcios, visto que temos um conhecimento extraído, principalmente, da liturgia registrada de forma escrita por escribas e por sacerdotes. Essas funções estavam reservadas à elite da sociedade egípcia. Muito diferente era o restante da população, majoritariamente, analfabeta que desconhecia a escrita hieroglífica. É impossível quantificar os limites de percepção e de discernimento que a população geral tinha do complexo sistema desenvolvido pela elite egípcia. É provável que conceitos básicos fizessem parte de sua realidade, mas, obviamente, as funções mais sofisticadas se restringissem apenas àqueles que tinham grande poder aquisitivo.

Teocracia

Governo e religião eram inseparáveis no Antigo Egito. Estamos falando de uma teocracia: para eles, os deuses haviam criado a vida e o universo, e um faraó divino havia sido enviado à Terra para ser responsável pela organização e pelo bem-estar da humanidade. No Império Antigo, o faraó egípcio era possivelmente entendido como uma divindade em si: em vida, era visto como um filho de Rá, um Hórus na Terra, filho dos deuses responsáveis pelos reinos dos vivos. Ele também era geralmente representado na companhia de outros deuses e equiparado a eles pelos seus nomes e títulos. Já após a morte, o faraó se tornava um Osíris e vivia sua vida após a morte na companhia de outros deuses e faraós mortos. A partir do Império Médio, o faraó passou a ser visto mais como um enviado dos deuses, um representante divino, que uma divindade *per se*.

No Império Novo, a ideia mais comum era a de que os deuses já houvessem governado a Terra presencialmente em algum momento. Todavia, Rá, o rei dos deuses e dos homens, teria se aposentado da Terra, tornando-se governante apenas dos deuses. Osíris e Hórus o teriam sucedido, até que o posto passou a ser assumido por faraós.

Em todos os cenários, o faraó era o chefe de Estado e representava os deuses na Terra, assistido por uma hierarquia de conselheiros, sacerdotes, funcionários e administradores, que eram responsáveis pelos assuntos do Estado e pelo bem-estar do povo. Desta forma, a religião e o governo formavam um bloco homogêneo e eram responsáveis por trazer ordem à sociedade, seja por meio de criação de leis, tributação, construção de templos, organização do trabalho, comércio com os vizinhos e da defesa dos interesses do país.

Embora os faraós tivessem a ajuda de conselheiros para guiá-los durante seus reinados, eram eles os responsáveis pelas decisões que afetariam o reino. Como também eram os "sumos sacerdotes", costumavam supervisionar a construção dos templos e a realização dos rituais sagrados para homenagear os deuses e justificar sua posição como representante dos deuses na Terra.

O poder do faraó também se manifestava na arquitetura. Os egípcios construíam pirâmides para os faraós mortos seguindo sua crença de preservar o corpo de seus mestres e manter as almas vivas para que eles pudessem ir para a vida após a morte e lá se tornassem deuses. O Faraó Quéops (Khufu em egípcio antigo) deu início ao primeiro projeto da pirâmide de Gizé por volta de 2550 AEC. Sua Grande Pirâmide é a maior do planalto e tem cerca de 147 metros, contando com cerca de 2,3 milhões de blocos de pedra, que pesam, em média, de 2,5 a 15 toneladas cada. Seu filho, o Faraó Quéfren (Khafre em egípcio antigo), construiu a segunda pirâmide no local por volta de 2520 AEC, adicionando também a Esfinge, o misterioso monumento que guarda um complexo de tumbas. A terceira pirâmide de Gizé foi construída pelo Faraó Miquerinos (Menkaure em egípcio antigo) por volta de 2490 AEC. Apesar de ser consideravelmente menor que as duas primeiras, ela apresenta um templo mortuário muito mais complexo.

Sobre os deuses

As divindades também são figuras importantes no que diz respeito à unificação do Alto e Baixo Egito. Como comenta Oskar Kaelin, da Universidade de Basileia, Suíça:

> O Egito era dividido em Alto e Baixo Egito, as "Duas Terras". Sua unificação foi um aspecto central da ideologia da realeza, refletida no título real e divino *nb t3wj* ("Senhor das Duas Terras"). A coroa vermelha e a coroa branca, que representavam o Baixo e o Alto Egito, respectivamente, também estavam conectadas às divindades tutelares da realeza Wadjet e Nekhbet. Embora fossem originalmente coroas separadas, desde o início do período dinástico as duas coroas eram frequentemente unidas na Coroa Dupla. Cada uma das Duas Terras compreendia cerca de vinte *sep3wt* ("províncias, nomos"), cada um dos quais tinha sua própria capital provincial com uma divindade associada principal e, em muitos casos, templos para deuses e cultos adicionais, bem como um padrão com símbolos divinos.[6]

---
6 KAELIN, O. op. cit.

A respeito das divindades o pesquisador Joshua J. Mark relata que:

> Os deuses evoluíram de um sistema de crenças animista para um sistema altamente antropomórfico e imbuído de magia — "heka". Essa palavra se referia tanto à força primordial, anterior a todos os outros deuses, que possibilitara o ato da criação e sustentava a vida mortal e divina, quanto ao deus que a representava.[7] *Ma'at* era possível devido à força subjacente que existia antes da criação e tornava todos os aspectos da vida possíveis: *heka*. *Heka* era o poder mágico que permitia aos deuses cumprir seus deveres e sustentar toda a vida e era personificado no deus Heka, que também permitia que a alma passasse da existência terrena para a vida após a morte.[8]

Na mitologia egípcia, os nomes dos deuses já dizem muito sobre eles: expressam a natureza fundamental das coisas a que se referem, relacionando-se a seus papéis ou origens. O nome de Sekhmet, a feroz deusa predadora, significa "poderosa"; o nome do misterioso deus Ámon significa "oculto", e o nome de Nekhbet, que era adorada na cidade de Nekheb, significa "ela de Nekheb". Entretanto, nem todos os nomes têm um significado certo, e alguns parecem ser arbitrários. Curiosamente, acreditava-se que os deuses tinham muitos nomes, muitos deles secretos, que transmitiam suas verdadeiras naturezas mais profundamente do que outros. Saber o verdadeiro nome de uma divindade era ter poder sobre ela.[9]

---

7   JOSHUA, M. *Deuses egípcios: origens e história*. Disponível em <https://edukavita.blogspot.com/2015/04/deuses-egipcios-lista-completa-origens.html>. Acesso em: 15 set. 2021.

8   CHAD WILKEN'S. *Antiga Mitologia Egípcia*. Disponível em: <https://chadwilken.com/pt/antiga-mitologia-eg%C3%ADpcia/>. Acesso em: 15 set. 2021.

9   FAVARD-MEEKS, C; MEEKS, D. *La vita quotidiana degli Egizi e dei loro dèi*. Milão: Bur Rizzoli, 2018.

Como é comum em outras mitologias, os deuses do panteão egípcio também recebiam epítetos, isto é, uma palavra ou expressão que descreve ou caracteriza um atributo do deus e geralmente vem associada ao seu nome. A deusa Ísis, por exemplo, era conhecida como "Aquela que é dourada" por ser filha de Rá.

Imaginava-se que os deuses tivessem, em sua maioria, pele de ouro, cabelo de lápis-lazúli e que seus corpos fossem feitos de outros materiais luxuosos. Eles ouviam e enxergavam muito bem, e sua pele tinha viço e brilho. Havia a cada deus ou deusa uma rica diversidade de nomes, designações, epítetos, atributos e traços particulares que caracterizavam sua personalidade. As divindades possuíam uma indumentária mais luxuosa e suntuosa que a outra e portavam diferentes itens sagrados. Seus poderes forneciam livre controle de suas esferas próprias de domínio e as decisões que tomavam nelas jamais eram imparciais, mas, sim, tomadas a seu bel-prazer. Fisicamente, todavia, suas formas não eram estanques: suas aparências eram intercambiantes, conforme a mitologia, e se adaptavam aos mais diversos contextos e objetivos intendidos.

Apesar de seus papéis serem fluídos, como trataremos um pouco mais adiante, os deuses tinham habilidades e domínios de influência limitados. Para eles, tudo tinha um limite e o próprio cosmos não poderia ser ultrapassado nem sequer pelo deus que o criou. Mesmo Ísis, considerada a deusa mais sábia dentre todas, não escapava a essa regra e, por isso, não poderia atingir o grau de onisciência.

Os deuses também não viviam em uma montanha isolada ou em um paraíso inalcançável, como é comum na mitologia de outras culturas. Como citamos anteriormente, acreditava-se que, em um determinado momento, no tempo em que os mitos são narrados, os deuses viveram na Terra e, depois disso, decidiram se retirar e passar a viver no céu ou invisíveis dentro do mundo.

Os humanos podiam sentir sua presença por meio do olfato, da visão, da intuição, dos fenômenos naturais (por exemplo, terremotos), ou por meio de doenças ou infortúnios. Embora devessem, de fato, ser temidos, eles também costumavam ser generosos e benevolentes. Cada divindade estava relacionada a algo em específico, mas poderiam ser, frequentemente, associadas a várias esferas da vida humana ao mesmo tempo. Por exemplo, a deusa Anuket estava altamente relacionada — e às vezes era até mesmo entendida como — a personificação do Rio Nilo, mas, além disso, também estava associada à caça e ao parto.

Os deuses tinham comportamentos parecidos aos dos humanos: comiam, bebiam, brigavam, choravam, riam, ficavam com raiva ou emburrados — e suas personalidades eram ambivalentes. Podiam também ter um ciclo de vida semelhante ao dos homens, isto é, períodos de juventude, de envelhecimento, e de morte (como no caso de Osíris), embora geralmente fossem regenerados e não permanecessem, de fato, mortos. Talvez o melhor exemplo seja o deus do Sol, Rá, que nasce todos os dias pela manhã, envelhece durante o dia e morre ao pôr do sol, regenerando-se no submundo para ressuscitar todas as manhãs. O humano falecido que viveu seguindo os parâmetros de ordem e justiça de *Ma'at* também será regenerado na vida após a morte; caso contrário, será condenado e aniquilado, deixando de existir para sempre.

Deuses e humanos se comunicavam, e essa comunicação poderia ser iniciada por ambas as partes. Os resultados tendiam a ser positivos quando o contato era iniciado pelo homem, como por meio de algum ritual ou oração, mas negativos quando iniciados pela entidade — geralmente na forma de presságios, doenças, infortúnios, sonhos, obsessão ou culpa. Os deuses podiam ficar com raiva dos humanos se esses não os ajudassem a suprir suas necessidades, o que os humanos tentavam fazer através de ofertas e rituais. Os humanos tentavam ficar, sempre que possível, em bons termos com as divindades. Por exemplo, no caso do deus crocodilo Sobek, uma vez que os egípcios soubessem que o rio Nilo, do qual dependiam, estava repleto dessas criaturas, tentavam apaziguar seu mestre para evitar acidentes. Também era comum recorrer a uma divindade específica em momentos de necessidade. Isso acontecia com as deusas da fertilidade, pois, como é de se imaginar, a taxa de mortalidade no momento do parto era alta, e os egípcios costumavam pedir o auxílio de deusas como Taweret, na hora do nascimento da criança, para que tudo saísse bem.

Nem todos os aspectos da existência eram vistos como divindades. Embora muitas divindades estivessem relacionadas ao Nilo, outros componentes do mundo, como aspectos geográficos ou fenômenos de curta duração (fogo, água, arco-íris ou eclipses) não costumavam ser representados por deuses.

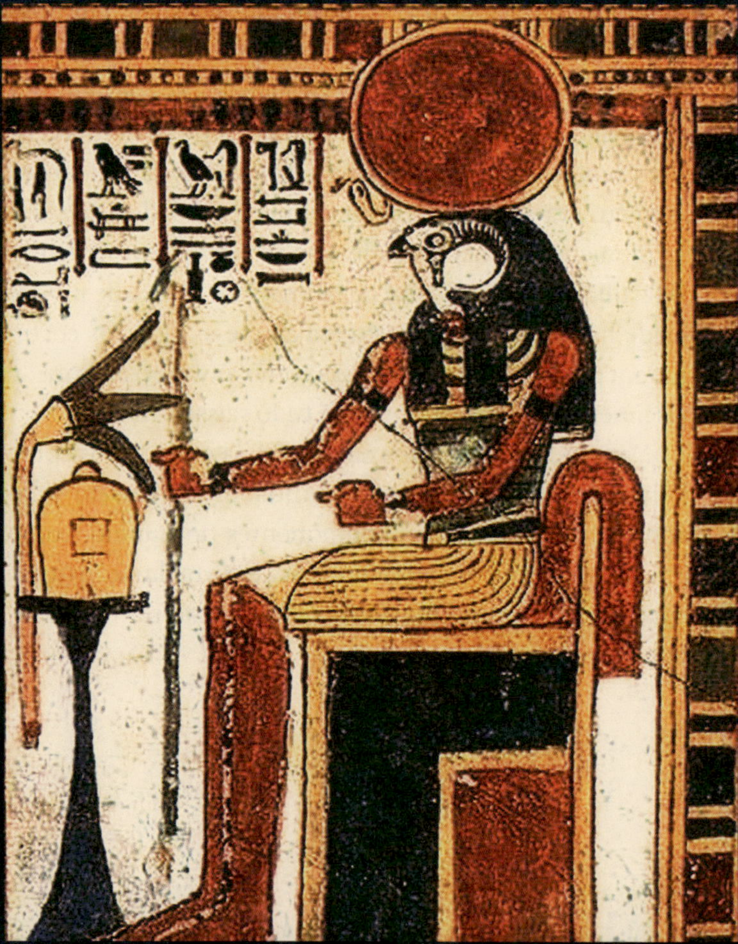

Comportamento

Com exceção de poucas divindades, os deuses egípcios buscavam manter o princípio de Ma'at, a ordem do universo. Aqui é importante ressaltar que o entendimento de equilíbrio para o homem egípcio antigo talvez difira um pouco do nosso pensamento moderno ocidental. Enquanto estamos acostumados a entender alguns eventos como negativos, os egípcios entendiam que era necessário haver um contrapeso a tudo para que existisse equilíbrio. Por exemplo, não poderia haver luz sem escuridão, nem vida sem morte. A morte, por sua vez, era entendida como uma passagem, uma interrupção temporária, em vez de cessamento da vida. A cultura popular muitas vezes ilustra os antigos egípcios bizarramente obcecados pela morte, mas, na verdade, ela era entendida de uma forma muito natural: como apenas uma passagem, uma viagem ao outro mundo e, para que essa viagem fosse feita da melhor maneira possível, era de bom senso se preparar da melhor forma para quando o momento de fazê-la finalmente chegasse.

No panteão egípcio, a forma como os deuses se comportavam ou conviviam entre si ou entre os humanos era entendida pela maneira que eles tinham, previamente, agido nos mitos. Em geral, suas personalidades são fundamentadas em arquétipos, porém alguns deuses podem manifestar características pessoais e singulares, chegando até mesmo a serem antitéticas. Seus comportamentos nos mitos variam: podem ser inconsistentes, ocultarem seus pensamentos e não declararem, muitas das vezes, suas motivações. Isso se dá, talvez, porque o significado simbólico do mito é mais importante que a própria elaboração consistente da narração.

Apesar de serem poderosos e até mesmo temidos pelo povo, os deuses costumavam, por outro lado, demonstrar benevolência a quem demonstrasse estar disposto a seguir o caminho da justiça e a lhes prestar os devidos deveres e homenagens.

Representações

Os egípcios eram um dos povos mais expressivos visualmente do mundo antigo, e seu bom uso de representações artísticas permitiu que tivéssemos percepções multifacetadas de como concebiam seus deuses. As divindades aparecem de diversas formas na arte — animais, humanos, objetos, e inclusive como diferentes combinações entre esses grupos — aludindo, por meio do simbolismo, às suas características mais essenciais e arquetípicas. Para eles, as imagens não apenas representavam as divindades, mas também as materializavam e manifestavam sua presença real.

No início do período dinástico, as divindades já eram representadas de maneira totalmente humana (antropomórficas), como animais selvagens ou, às vezes, de forma híbrida. Na Segunda Dinastia, surgiram também algumas representações bimórficas, isto é, divindades representadas com o corpo humano e a cabeça de um animal. Essas representações podiam ser desde imagens muito realistas, quando se tratava de puras formas humanas ou animais, até combinações híbridas de diferentes partes do corpo de criaturas, símbolos e objetos, com a adição de braços e pernas. Eles também podiam acentuar o humor de uma divindade em certos contextos (por exemplo, alternando entre a representação de um gato gentil e de um leão feroz, a depender do estado de espírito de algumas divindades femininas).

Oskar Kaelin comenta a relação entre as formas das divindades masculinas e o que eles representavam:

> Formas puramente antropomórficas de divindades masculinas eram usadas para representar deuses que representavam as esferas cósmicas ou geográficas, como deuses criadores (por exemplo, Ámon/Amon-Rá, Atom, Ptá), Lua (Khonsu), Terra (Geb), ar (Shu), céu (Nut), águas (Hapy como a enchente do Nilo ou Nun como as águas primitivas), montanhas, cidades, propriedades, fertilidade (Min), humanos deificados (como Imhotep), reis falecidos e notáveis ou divindades estrangeiras (Ba'al, Hauron, Reshep). Além disso, o Bes de aparência grotesca tem uma aparência antropomórfica, porém na forma de um anão. Osíris, como deus dos mortos, geralmente era mostrado com um corpo mumificado ou como o "Osíris do milho", que traz a fecundidade, com plantas brotando de seu corpo. Também havia vários deuses venerados como divindades infantis (por exemplo, Hórus). Divindades femininas com formas principalmente antropomórficas são Hator , Ísis, Ma'at, Mut, Neith, Nephtys, Nut e Seshat, e também deusas levantinas importadas, como Anat, Astarte, Baalat e Qadesh.[10]

Sobre as criaturas representadas na forma de animais selvagens, ele adiciona:

> As formas teriomórficas cobrem quase toda a fauna conhecida no Egito — espécies de mamíferos, aves, répteis e anfíbios, peixes, invertebrados e insetos. Divindades masculinas eram associadas a touros (Apis), cães e chacais (Anúbis),

---
10 KAELIN, O. op. cit.

carneiros (Khnum), falcões (Hórus, Rá, Sokar), íbis (Thoth), leões (o rei), crocodilos (Sobek), serpentes (Apófis , ou Yam, o deus levantino do mar), escaravelhos (Khepri), ou o animal desconhecido que representa Seth; divindades femininas eram associadas a vacas (Bat), gatos (Bastet), abutres (Nekhbet, Mut), serpentes (Meretseger, Wadjet), rãs (Heket), leoas (Sekhmet) ou hipopótamos (Taweret).[11]

Com relação às divindades híbridas ou bimórficas, ou seja, aquelas que combinam partes humanas e animais, o pesquisador conclui que ainda que, de fato, tivessem multiplicidade formal, a cabeça possivelmente representaria a essência primordial da entidade.

Intercambiamento de funções e emaranhamento de deuses

A maioria das divindades egípcias representavam fenômenos naturais ou sociais, todavia podiam compartilhar suas funções, por exemplo: Rá, Atom, Khepri, Hórus, entre outros eram adorados como deuses solares. Da mesma forma que muito raramente, também, as deidades estavam relacionadas a um único aspecto de atuação: Hator era deusa do céu, mas também da fertilidade e do amor. Além disso, seus papéis eram fluidos, e podiam variar muito dependendo do período histórico analisado e do local de adoração: um deus que fosse inicialmente uma divindade local poderia passar a ser cultuado ao longo de outras regiões do Egito e até mesmo por todas elas.

---

[11] Ibid.

Mudanças de funções e de atributos também aconteciam frequentemente. Divindades se transformavam ao longo do tempo, assumindo novas responsabilidades ou deixando de assumir outras. Por exemplo, a deusa Neith era originalmente uma deusa da guerra, mas acabou se tornando uma figura nutridora. Seu papel de Deusa Mãe era uma importante referência materna aos deuses, a tal ponto que a ela recorriam para aconselhamento e resolução de suas contendas e disputas. O caminho contrário também poderia acontecer, e, às vezes, as transformações eram severas demais, deixando traços muito distintos daqueles originais, como no caso de Set, que passou de um deus protetor ao primeiro assassino do mundo.

Apesar de suas diversas funções, a maioria dos deuses tinha um princípio e um objetivo em comum: manter o que eles chamavam de *Ma'at*, a ordem universal.[12] Esse conceito era fulcral e a convicção primordial da antiga religião egípcia. Mesmo que a manutenção dessa ordem cósmica fosse compartilhada entre as divindades, algumas poucas ofereceram um risco de desbalancear o universo e interromper *Ma'at*: foi o caso da serpente Apep, a força do caos — e inimigo do deus Sol, Rá —, que tentara acabar com a ordem do universo.

Outra noção fundamental para entender o panteão egípcio é a de emaranhamento. Trata-se da prática de agregar, fusionar e aglutinar diferentes divindades em um mesmo "corpo" ou em uma única identidade. Esse costume se tornou cada vez mais comum com o passar do tempo e, normalmente, se concretizava, de fato, na junção dos dois — ou mais — nomes dos deuses, como "Amon-Rá".

---
12 TOBIN, V. A. *Theological Principles of Egyptian Religion*. Pieterlen: Peter Lang, 1990.

Esse processo se realizava de forma bem orgânica no reconhecimento da presença de um deus em outro quando o segundo deus assumia o papel, a função ou o atributo, que originalmente pertencia ao primeiro. Essas conexões não eram, de modo algum, rígidas ou engessadas e, se por ventura conviesse, poderiam ser facilmente desfeitas. Portanto, não havia uma ligação categoricamente permanente e uma mesma divindade poderia atrair para si uma variada gama de associações sincréticas. Dentre as possibilidades, havia um bifurcamento no que tange a como esse emaranhamento de deuses ocorreria. A primeira via existente diz respeito à união de divindades com características muito parecidas. A segunda via poderia emaranhar divindades de naturezas completamente diferentes e, até mesmo, contrastantes. Por exemplo, Ámon (deus responsável pelo poder oculto e imanente) fundiu-se com Rá (o sol como fonte de toda luz e energia, o criador final) para formar Amon-Rá — um deus composto de poder interno e externo, já que seu domínio abrangeu ambos os aspectos das divindades originais.

Sobre a complexidade das relações

As divindades egípcias eram organizadas em grupos (como que em espécies de relacionamentos) herméticos, mas que constantemente poderiam mudar em decorrência de várias razões. Essas interações eram tão fortes, que poderiam alterar e definir o caráter de uma divindade; por vezes, sendo mais representativas que o mito em si, embora estivessem geralmente relacionados.

Existiam diversas formas possíveis de agrupamento. A primeira era através das relações familiares. Os deuses e deusas do panteão egípcio costumavam ser organizados em grupos de famílias, consistindo, geralmente, de uma mãe, um pai e um filho. Entretanto, conforme as divindades se mesclavam, se fundiam e eram reinterpretadas com certa regularidade, consecutivamente afetava — ou, ao menos, tornavam difusos — os graus de parentesco. Portanto, essas genealogias não estavam imunes às mudanças e estavam à mercê das circunstâncias. Por exemplo, uma figura materna poderia ser entendida, também, como consorte e até mesmo filha de um deus, como é o caso da deusa Hator que estabelecia todas essas funções com o deus Sol. Já Hórus, em sua representação como criança, poderia atuar em tríades familiares locais como o terceiro membro.

Também era comum que deuses aparecessem emparelhados, isto é, ainda que fossem divindades independentes, costumavam aparecer sempre ou quase sempre no mesmo contexto. Deuses emparelhados aparecem às vezes tendo papéis semelhantes, como é o caso de Ísis e sua irmã Néftis; já outros, dicotômicos, ou seja, de natureza antagônica, porém complementar, constituindo assim uma unidade completa, tal qual uma moeda, inteira quando possui seu lado cara e seu lado coroa. Esse é exatamente o caso do deus Rá, energético e altamente ativo, produtor de luz, e Osíris, inerte e cingido da mais absoluta escuridão, quando, fundidos, se tornam um único deus a cada noite.[13] As deusas Wadjet e Nekhbet, patronas do Baixo e Alto Egito, são outro exemplo claro desse fenômeno. As duas divindades eram conhecidas

---

13 Englund, G. The Treatment of Opposites in Temple Thinking and Wisdom Literature. In: ENGLUND, G. *The Religion of the Ancient Egyptians*: Cognitive Structures and Popular Expressions, Uppsala, 77-88, 1989.

como "As duas Senhoras". Tendo sido unidas, a imagem de Nekhbet juntou-se a de Wadjet no ureu (adorno em forma de serpente usado nas coroas de deuses e faraós) e elas passaram a ser figuradas sempre juntas como parte das coroas do Egito, em uma clara representação metafórica da própria união das duas regiões do Egito.

As formas de associação entre os deuses eram vastas. Poderiam ser arranjados em tríades, isto é, grupos compostos de três deuses, implicando, assim, na maior parte das vezes, uma ideia de pluralidade, enquanto o arranjo em grupos de quatro deuses trazia uma ideia de completude. Outra forma comum de organização era pela localidade, muitas vezes aparecendo na forma de tríades: Sekhmet, Ptá e Nefertum formavam a tríade de Mênfis; Khnum, Anuket e Satet, a Elefantina, já a Tríade de Tebas era composta por Ámon, Mut e Khonsu; e assim por diante.

Durante a ascensão do Império Egípcio, o período histórico do Novo Império, os antigos egípcios foram influenciados pelas culturas de várias outras regiões. A política com relação a isso era a de assimilar algumas das importantes divindades estrangeiras, como Astarte, Ba'al e Mekal, visto que usavam de cautela para não ofender os deuses adorados em outras localidades. Assim, optou-se por absorver na própria religião egípcia algumas das práticas e crenças estrangeiras, chegando até mesmo a adotar entidades alheias em seu panteão.

Dado o espaço proposto, optamos por oferecer um panorama extremamente relevante, porém conciso, já que, ao analisá-lo, não nos aprofundaremos nas relações de parentesco entre os deuses, tendo em vista a profunda e extensa abordagem que questões a respeito disso exigem. Alguns dos deuses apresentam relações tão complexas que, facilmente, um livro inteiro poderia ser escrito somente acerca delas.

Sobre os cultos

A antiga religião egípcia não se baseava em um conjunto de princípios teológicos e canônicos, mas, sim, girava em torno da forma de interação que as pessoas instituiam com os deuses. Eles se referiam a essa interatividade com os deuses como *irt ht* (fazer coisas), *irw* (coisas feitas) ou *nt* (procedimentos regulares).[14]

O foco do culto era o *ntr*, que desde o período ptolomaico (grego) é traduzido como "deus". Entretanto, o termo utilizado pelos antigos egípcios se aplicava, na realidade, a qualquer entidade que estivesse sendo beneficiada no ritual. Podemos definir melhor essas entidades separando-as em classes:

1. Os deuses, de fato.
2. Entidades que SE TORNAVAM *ntr* por meio do ritual seja:

    A) durante suas vidas (reis e animais especiais que imaginavam ser manifestações dos deuses, por exemplo);

    B) ou após a morte (pessoas comuns que se tornaram deificadas como Imhotep e animais mumificados).

Nos templos dedicados a 1 e 2A, a única pessoa retratada oferecendo ou realizando outros rituais é o faraó que estava no poder. Já nos espaços de oferenda aos mortos abençoados, o falecido recebe ofertas, na maioria das vezes, da família imediata, mas, após cerca de 1500 AEC, também é possível encontrar imagens em que o próprio falecido aparece oferecendo algo a divindades.

---

[14] DUNN, J. *An Overview of the Ancient Egyptian Cult. Tour Egypt*. Disponível em: <http://www.touregypt.net/featurestories/cults.htm>. Acesso em: 15 set. 2021.

Teoricamente o rei era a única pessoa viva no Egito com o status de *ntr*, e deveria ser ele o sumo sacerdote, responsável por contentar e oficializar o culto aos deuses. No entanto, na realidade, o faraó delegava a responsabilidade a vários sacerdotes. Embora muitas nomeações sacerdotais importantes fossem feitas pelo próprio faraó, em vários momentos, elas eram feitas por oficiais locais, e possivelmente os cargos sacerdotais também podiam ser herdados.

Os sacerdotes costumavam ser divididos em quatro grupos, os chamados "grupos de serviço", aos quais os gregos deram o nome de "phyles". Cada grupo servia um mês lunar em rotação, de modo que durante o ano cada um servia por três meses, tendo três meses de intervalo. Na verdade, isso permitia que alguns sacerdotes possuíssem o sacerdócio em vários templos.[15]

Para conduzir o culto aos deuses, os egípcios construíram diversas instalações religiosas, muitas delas colossais, cuja arquitetura monumental sagrada sobreviveu extraordinariamente bem em vários locais no Vale do Nilo.

Esses templos eram chamados pelos antigos egípcios de *hwt-ntr*, que significa "a casa do deus". Esses lugares geralmente serviam a vários deuses e, para sustentar essas atividades de culto, eram necessários recursos consideráveis, como extensas redes de terra, gado e de extensa mão de obra humana.

Por celebrarem cultos divinos, os templos eram instituições estatais. O culto como parte da religião oficial não era focado na moderna e cristã ideia de confortar o indivíduo com esperança e perdão, mas, sim, como o meio necessário

---

[15] DUNN, J. op. cit.

de manter a ordem cósmica — *Ma'at*.[16] Os cultos específicos se abasteciam e adquiriam sua substância a partir dos mitos, que, por sua vez, eram passados através de uma memória cultural específica. O ritual estava ligado à ideia de iniciar a (re)criação do passado, com a intenção de que ele acontecesse novamente dentro do tempo cíclico (neheh). O objetivo dos rituais no culto divino era agradar aos deuses endereçados (sekhetep) e receber assistência e apoio deles como presente em troca. Os sacerdotes faziam suas ofertas aos deuses por meio da palavra, e os materializavam em comida, bebida e roupas.

No culto, cuidava-se do *akhem* do deus, ou seja, sua imagem física. Essas estátuas costumavam ser pequenas e eram feitas de madeira, metais preciosos, lápis-lazúli e marfim de elefante, em vez de todas as pedras macias e duras de esculturas em grande escala. Fontes escritas relatam que a crença era de que a carne e os ossos das divindades eram feitos de ouro, prata e lápis-lazúli. Não se acreditava que as imagens fossem equivalentes aos deuses, mas que eram de fato receptáculos para acomodá-los. Assim, o ritual era visto como um momento de preparação para que a estátua pudesse receber a divindade e, assim, ela pudesse estar presente.

A imagem costumava ficar no lugar mais escuro e escondido do templo, onde apenas poucas pessoas teriam acesso. O templo era uma construção cheia de paredes, pátios, salões e pequenas câmaras, que atuavam como um palco para o culto ao deus. Com tetos cada vez mais baixos e crescente escuridão, o templo ficava sempre mais inacessível à medida que se entrava nele.

---

16 BECKER, M. Popular Religion in Asyut. In: KAHL, J. *Ancient Asyut: The First Synthesis after 300 Years of Research*. Wiesbaden: Harrassowitz, 2007. p. 141.

Os rituais podiam ser diários ou praticados durante os festivais. Ao que se parece, as práticas diárias eram mais uniformes e executadas todas as manhãs para a divindade de cada templo, enquanto que aqueles praticados nos festivais variavam muito, dependendo do deus e do local escolhido para sua performance.

As duas principais fontes sobreviventes para conhecer as palavras e ações presentes nos rituais diários de oferta são:

1. As representações e as inscrições hieroglíficas que as acompanham, no templo para o culto do rei Seti I em Abidos (por volta de 1290-1279 / XIII AEC)
2. O registro completo das palavras na escrita hierática, sem ilustrações, em manuscritos de papiro referentes ao culto do deus Ámon e da deusa Mut em Karnak, ao leste de Tebas.

A partir dessas e de outras fontes, Alexandre Moret, renomado egiptólogo francês, compilou um esboço do curso do ritual diário de oferenda[17]:

1. Queima-se incenso antes de ir para o santuário.
2. Abre-se o santuário de culto cantando o hino matinal (acompanhado de sacerdotisas) e quebram-se os selos de argila.
3. A pessoa que conduz o ritual se curva em frente à imagem da divindade com dois gestos principais: (I) um beijo no chão e (II) a elevação dos braços enquanto canta os hinos.
4. Oferta-se incenso e óleo perfumado.
5. Repetem-se os passos 2, 3 e 4, em um possível santuário interno ou talvez uma segunda vez no mesmo dia.
6. É feita a oferta à deusa Ma'at.

---

17 MORET, A. *Le rituel du culte divin journalier en Egypte*: d'apres les papyrus de Berlin et les textes du temple de Seti 1er, a Abydos. Londres: Forgotten Books, 2018.

7. A imagem é vestida, com o oferecimento de quatro pedaços de tecido, cada um com um nome diferente.

8. À imagem é oferecido óleo perfumado e tinta verde (cobre) e preta (chumbo) para os olhos.

9. A pessoa que conduz o ritual se retira do santuário, varrendo suas pegadas e oferecendo natrão, incenso e água.

10. Fecha-se o santuário.

Em troca das honras prestadas à deusa durante os rituais, esperava-se que a divindade ajudasse o rei e toda a humanidade com seu poder divino, estabelecendo a ordem (*Ma'at*) e fortalecendo o poder do Estado. Ao interferir neste mundo, a divindade estava mantendo o princípio de *Ma'at* vivo e onipresente para que o rei pudesse reinar com sucesso na Terra.[18]

Ao contrário das imagens das divindades, as estátuas para o culto de indivíduos comuns costumavam ser feitas de pedra dura ou macia. Depois de feita, essa estátua deveria passar pelo ritual da ABERTURA DA BOCA, para que o *ba* divino, componente essencial da alma, pudesse nela se fixar.

Como dissemos, o culto aos deuses também poderia acontecer durante os festivais. Stephen Quirke explica que, apesar do nome, a palavra "festival" não tem necessariamente semelhanças com a forma como a entendemos hoje:

> Em inglês, a palavra "festival" implica uma certa escala de celebração, tanto pública quanto privada, com um público maior como parte da ocasião especial. Essas reuniões são registradas no Antigo Egito, mas nem sempre ocorriam necessariamente em todos os festivais. Existem duas palavras egípcias para dias marcadamente sagrados: *heb* geral-

---

18 TRAUNECKER, C. *The Gods of Egypt*. Nova Iorque: Cornell University Press, 2001.

mente traduzido como festival, para dias selecionados que ocorrem em uma base cíclica, por exemplo, a cada mês, estação ou ano, e *kha* literalmente aparição, um momento especial em que uma força divina geralmente oculta apareceria fora do espaço usual, como na procissão divina.[19]

Provavelmente, as divindades eram colocadas em capelas portáteis e levadas do santuário até outro lugar. Muitas vezes, essas capelas tinham forma de barcos, o que deu aos festivais o nome de FESTIVAIS DE NAVEGAÇÃO. Mais pessoas tinham a oportunidade de participar nos rituais que envolviam procissões, que costumavam acontecer nos espaços mais amplos, nos pátios abertos do templo ou do lado de fora.

Conclusões finais

Entender a complexidade e a vastidão que envolve os deuses egípcios é tarefa hercúlea, tendo em vista que, do mundo antigo, poucas civilizações tiveram um panteão tão enredado de enigmas. A compreensão dessa enlevada tessitura de mitos, práticas religiosas, bem como da própria essência de cada deus e do papel vital da alma humana em sua jornada imortal foi o cerne de seu formidável desenvolvimento enquanto civilização.

Além de grande, o panteão egípcio é fluido, com uma gigante variedade de divindades e conexões que se fazem e se desfazem constantemente. Parece sempre problemático reduzir tanto tempo de crença em uma simples listagem. No entanto, devido à vasta quantidade de entidades e às limita-

---

19 QUIRKE, S. op. cit.

ções de espaço, as coleções de mitologia se veem obrigadas a fazer um recorte, escolhendo certas divindades de acordo com a quantidade de ocorrências nas quais elas são encontradas, o que, de fato, pode sugerir uma possível maior relevância para os estudos dessa sociedade.

Através de *Ma'at* — a noção de ordem e equilíbrio —, o mundo se mantinha longe do caos. Cada indivíduo tinha seu papel para que o *Ma'at* fosse mantido, portanto, tentavam viver uma vida justa e digna, para que fossem aprovados no julgamento após a morte e não tivessem sua alma destruída definitivamente. A vida no Egito Antigo era moldada pela sua relação com os deuses, cada aspecto de sua cultura estava submerso em *heka*.

Muitos deuses se sobrepuseram por várias razões: aspecto, função e até mesmo identidade. Em uma região que foi submetida a tantos influxos de vários povos, como foi a civilização egípcia, era de se esperar que houvesse uma grande diversidade de divindades e uma teologia tão complexamente volátil. A ideia de vida *post mortem* e da existência de divindades benevolentes, dois conceitos muito caros aos egípcios, acabou por influenciar outras regiões e culturas, principalmente, através de rotas comerciais como a própria Rota da Seda, aberta por volta de 130 AEC. Esse intenso intercâmbio cultural é facilmente explicado ao se observar a cidade portuária Egípcia de Alexandria como o importantíssimo centro comercial que fora. Entretanto, além disso, o legado egípcio está presente em inúmeras coisas que utilizamos diariamente, muitas vezes, sem nem sequer termos consciência disso.

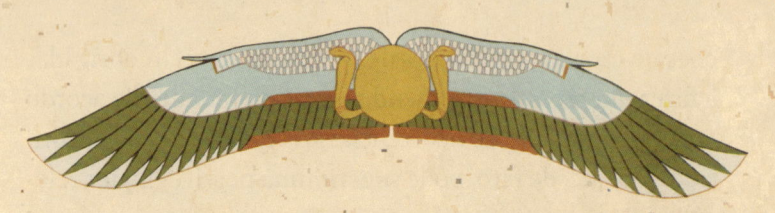

LISTA DE DIVINDADES POR REGIÃO

A Ogdóade de Hermópolis

Nun e Naunet

Huh e Hauhet

Kek e Kauket

Ámon e Amonet

A Enéade de Heliópolis

Atom (mais tarde Rá e Ámon)

Shu

Tefnut

Geb

Nut

Osíris

Ísis

Set

Néftis

Hórus (posteriormente)

A Trindade de Mênfis

Sekhmet

Ptá

Nefertum

A Trindade Elefantina
Khnum
Anuket
Satet

A Trindade Tebana
Ámon
Mut
Khonsu

Denderah (Edfu)
Hator e Hórus Behedet

Faiyum / Crocodilópolis
Sobek
Renenutet
Hórus Behedet

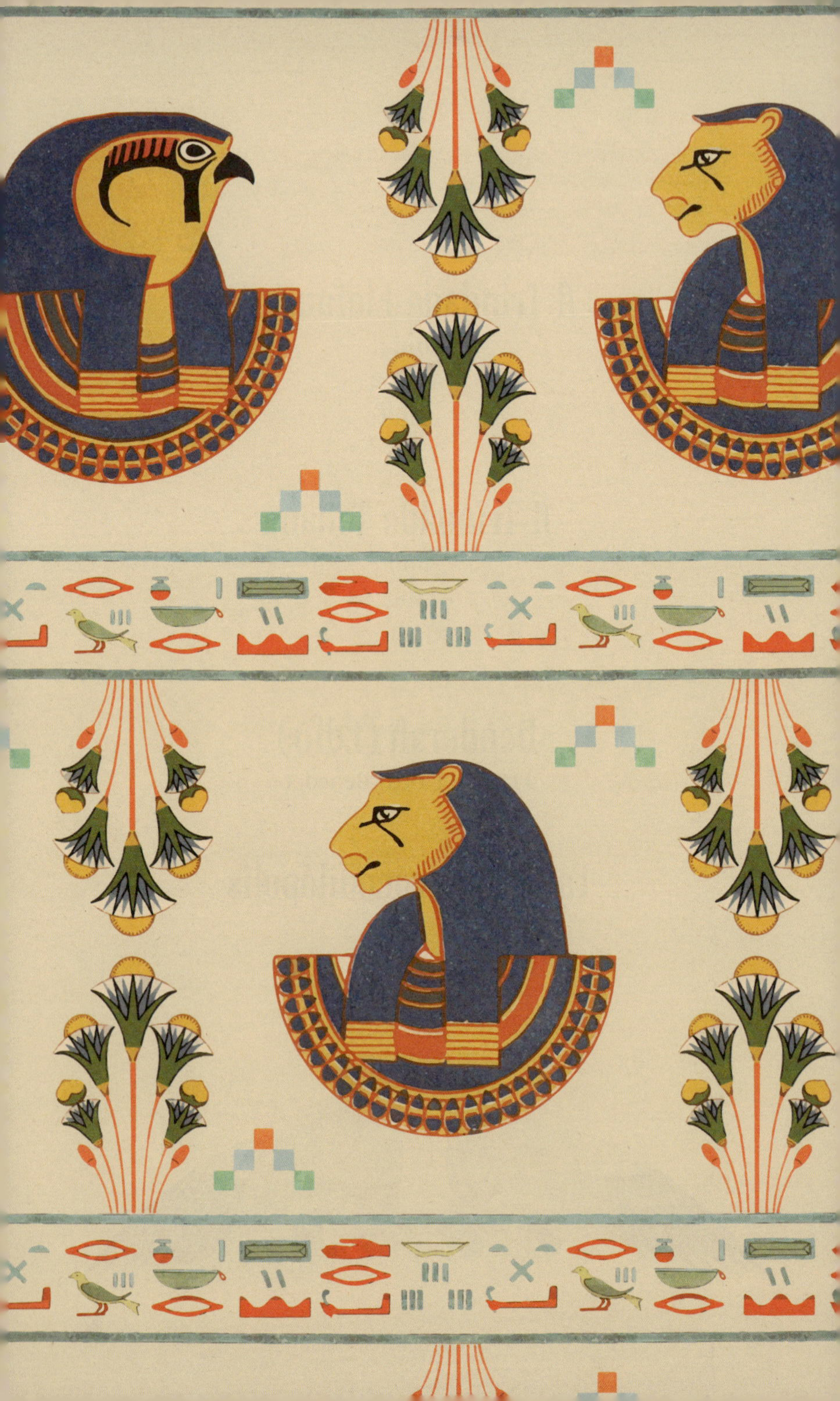

CATÁLOGO DOS DEUSES

Aken

Acreditava-se que Rá, o deus Sol, atravessava o céu durante o dia em um barco e cruzava o submundo à noite em outro chamado Meseket. À medida que o mito se desenvolveu, ampliou-se também a ideia de que o barco Meseket era controlado por um barqueiro separado, que ficou conhecido como Aken.

Atingia um estado de sono profundo quando ninguém exigia seus trabalhos, no entanto, no momento em que eles eram demandados pelos mortos, o barqueiro Mahaf lhe despertava prontamente. As representações pictóricas o retratam como um velejador parado na popa de um barco de papiro. Ainda que sem um centro de culto específico e também não fosse uma divindade altamente reverenciada, sua importância se dá, pois Aken é mencionado algumas vezes no Livro dos Mortos. Ele também era descrito como a "boca do tempo", da qual os deuses e demônios puxariam uma corda (também do tempo), conforme descrito na tumba do rei Seti I.

Aker

Aker era um deus da terra e do submundo; a deificação do horizonte, representando onde o sol nasce no leste e se põe no oeste. Acima de tudo, Aker era uma divindade protetora. Acreditava-se que ele estivesse protegendo o deus do sol Rá quando entrava no mundo dos mortos durante o crepúsculo e retornava à terra dos vivos ao amanhecer, além de ser o único com o poder de neutralizar a picada da serpente Apep. Ele era considerado um guardião do submundo, e era o responsável por dar as boas-vindas aos faraós em sua jornada para a vida após a morte. Suas funções de proteção se estendiam até mesmo a outros lugares, como tumbas e palácios, onde sua estátua era frequentemente colocada para afastar os maus espíritos — uma prática que continuou até a época da dominação grega e romana. Apesar disso, Aker não tinha nenhum templo em particular dedicado à sua honra.

Nas primeiras representações, Aker aparece como uma estreita faixa de terra com uma cabeça humana ou de leão em ambas as extremidades. A partir de certo momento no Império Médio, Aker aparece como um par de leões gêmeos: Duaj (que significa "ontem") e Sefer (que significa "amanhã"). Assim, Aker costumava ser intitulado "Aquele que olha para frente e para trás". Quando representado como um par de leões, colocava-se um hieroglífico representando o horizonte (duas montanhas fundidas) e um disco solar entre os animais.

Diversas inscrições, pinturas parietais e relevos trazem Aker ligado aos pontos cardeais do Norte e do Oeste, em estreita conexão com os horizontes que se estendiam por essas duas direções, de modo a formar, com o seu próprio corpo, uma ponte mitológica entre ambos os horizontes. Em outras ocasiões, como mostrado por certos textos nos sarcófagos das tumbas de Ramsés IV, Rá é descrito viajando pelo submundo e "Apófis, após ter sido cortado por Seth, passando pela barriga de Aker". Aker parece encarnar uma espécie de representação do próprio submundo.

Amentet
(Ament, Amentit, Imentet e Imentit)

A antiga deusa egípcia Amentet era a consorte de Aken, o barqueiro dos mortos, e também uma amiga dos mortos, e era quem lhes dava boas-vindas e lhes oferecia comida e bebida.

Seu nome significa "ela do oeste", o que não é apenas uma declaração geográfica, mas, sim, uma referência ao fato do sol se pôr no oeste, evento associado à morte e ao submundo pelos antigos egípcios. Amentet era originalmente o lugar onde o Sol se punha, mas posteriormente o nome foi aplicado aos cemitérios e tumbas que geralmente eram construídos ou escavados nos planaltos pedregosos e nas montanhas da margem ocidental do Nilo.

Acreditava-se que a deusa vivia em uma árvore nas bordas do deserto, de onde vigiaria os portões do submundo. Ela era frequentemente retratada em túmulos e caixões protegendo os mortos, embora também fosse uma deusa da fertilidade. Era de crença comum que Amentet encontrava as almas dos recém-falecidos e oferecia-lhes nutrição: pão e água, antes de conduzi-las ao reino dos mortos, um sustento que as revigorava e as preparava para o renascimento e também para as provações que enfrentariam ao longo de seu caminho para o lugar que os egípcios acreditavam ser uma espécie de paraíso.

Ela geralmente é representada como uma rainha, coroada com um semicírculo no topo de uma vara longa e outra curta — símbolo egípcio para o Oeste — por vezes, também adorna sua cabeça um falcão ou uma pena de avestruz. Em suas mãos, portava um cetro e o *ankh* (cruz ansata) da vida.

Nos caixões, ela era representada como uma deusa alada, o que a ligava às deusas Ísis e Néftis. Algumas vezes, a deusa se fundia com Hator, Mut e Nut. Ela também era intimamente relacionada a Ma'at e, de acordo com alguns mitos, era filha de Hórus e Hator.

Amentet às vezes era emparelhada com Rá-Horakthy, que representava o sol nascente, enquanto ela representava o sol poente. Pode também aparecer com Iabet, a deusa do deserto oriental, no *Livro da Terra*. Seus principais centros de adoração eram o Delta ocidental, Mênfis, Abidos, Luxor e Karnak.

Am-Heh

Um deus minoritário do submundo, que habitava um lago de fogo e era muitas vezes representado como um homem com a cabeça de um cão de caça. Seu nome significa "devorador de milhões" e "comedor da eternidade" e apenas o deus Atom conseguiria repeli-lo.

Amentet cumprimentando o Faraó Horemheb em seu túmulo (tumba KV57).

Am-heh não era adorado, mas temido. Às vezes, era entendido como um aspecto de Ammit, que, por sua vez, era uma criatura híbrida (cabeça de crocodilo, patas dianteiras de leão e traseiras de hipopótamo), a personificação do castigo divino que devorava os corações dos mortos não dignos no julgamento da pena de Ma'at. Ele também era relacionado ao deus babuíno Babi, por se tratar de uma criatura feroz, sanguinária e devoradora de entranhas.

Ámon
(Amun, Ammon, Amen)

Ámon era o antigo deus egípcio do sol e do ar, considerado um dos deuses mais importantes e poderosos do Antigo Egito. Ele fazia parte das oito divindades egípcias primordiais, mas seu papel evoluiu ao longo dos séculos e, durante o Império Médio, ele se tornou o Rei das Divindades, e, posteriormente, um deus adorado nacionalmente no Império Novo.

Originalmente, Ámon era apenas a divinização do ar/vento, um dos quatro conceitos fundamentais que teriam composto o universo primordial a partir do caos de Nun. Uma possível tradução para seu nome é "Aquele que é Oculto", o que sugere seu papel como o deus invisível dos elementos citados. Simbolicamente, a invisibilidade era representada pela cor azul, pois era a cor do céu visto através do ar, e, portanto, essa era a cor normalmente atribuída à imagem do deus.

A primeira menção ao deus Ámon ocorre nos Textos das Pirâmides como um deus local associado à proteção do rei, mas, em grande parte, era simplesmente um deus local que fazia parte da Ogdóade: os oito deuses que representavam os elementos primordiais da criação. Como deus do ar, Ámon passou gradualmente a ser associado ao sopro da vida. Isso o levou, no Primeiro Período Intermediário, a ser considerado o deus criador, aquele que se autocriou do caos primordial. Tal como acontecia com as outras forças da Ogdóade, entendia-se que ele tinha também seu aspecto feminino, chamado Amonet, do qual também era consorte.

Ele é frequentemente representado como um homem de barba segurando um *ankh* (cruz ansata) em uma mão e um cetro na outra, mas vários outros tipos de representações também podiam ser encontradas — algumas representações por vezes inteiramente humanas, inteiramente animais ou uma mescla das duas. Por exemplo, por vezes, Ámon era representado como um ganso ou como um homem com cabeça de sapo ou de cobra e, quando assumia a forma desta última, ele era capaz de se regenerar trocando de pele. Ámon também pode ser encontrado retratado como um homem com cabeça de carneiro ou simplesmente como um carneiro, porque em algum momento ele foi entendido como deus da fertilidade. Também há representações dele na forma de um leão agachado perto do trono, de um macaco, de crocodilo e, até mesmo, de uma mistura de traços de vários animais. Durante o período ptolomaico, suas representações costumavam ter quatro braços, corpo de besouro, asas de falcão, pernas humanas e patas de leão.

Uma interpretação possível é que Ámon representava o elemento de "ocultação", enquanto os outros deuses representavam conceitos mais claramente definidos como "escuridão" e "água". É possível que esse elemento "oculto" tenha funcionado como uma espécie de "coringa" e deixado espaço para que as pessoas o definissem de acordo com o que precisassem que ele representasse em cada determinado momento: por exemplo, um deus que representava a escuridão não poderia também representar a luz, nem um deus da água representaria a seca. Um deus que personificava a misteriosa natureza oculta da existência, entretanto, poderia representar qualquer aspecto da existência que se desejasse, e, segundo essa lógica, há teorias que sugerem ter sido precisamente esse o caso de Ámon.

Aos poucos, o aspecto misterioso de Ámon se uniu à grandeza do deus do sol Rá. Joshua Mark explica:

Desde a época do Império Médio (2040-1782 AEC) Ámon estava se tornando mais popular em Tebas e fazia parte da tríade tebana com sua consorte Mut (que substituiu Amonet) e seu filho Khonsu, o deus da lua. Quando Ahmose I derrotou os hicsos, ele atribuiu sua vitória a Ámon, ligando-o ao conhecido deus do sol Rá. Como Ámon era "O Oculto" não ligado a nenhum fenômeno ou princípio natural definível, ele era maleável o suficiente para caber em qualquer atributo que se desejasse adicionar a ele. Nesse caso, o aspecto misterioso da vida — aquilo que torna a vida o que ela é — estava ligado ao aspecto vivificante visível da existência: o sol. Ámon então se tornou Amon-Rá, criador do universo e Rei dos Deuses.[20]

---

20 MARK, J. *Amun*. World History Encyclopedia. Disponível em: <https://www.worldhistory.org/amun/>. Acesso em: 10 jun. 2021.

Em Amon-Rá, os aspectos mais importantes de Rá e Ámon foram combinados para estabelecer uma divindade abrangente: o deus combinava seu aspecto invisível (simbolizado pelo vento que não se pode ver, mas que sabemos que está lá) e seu aspecto visível, como o sol que dá vida, contemplando, assim, todas as facetas da criação.

Como Amon-Rá, Ámon se tornou também um deus solar e, como seria de se esperar de um criador, também um deus da fertilidade. Amon-Rá passou a ser considerado o pai e protetor de todos os faraós do Egito e, no Império Novo, ele já havia se tornado a divindade mais popular e mais amplamente venerada no Egito. Desde então, o seu culto impulsionou o papel crescente das mulheres na sociedade, que exerciam grandes poderes e ocupavam posições de autoridade e responsabilidade. A rainha Ahmose Nefertari, por exemplo, recebeu o título de "Esposa de Deus de Ámon" — um epíteto dado à esposa do faraó em reconhecimento de seu papel e posição na religião oficial de Ámon.

Seu culto se espalhou ainda mais para os estados e países vizinhos, especialmente a Núbia. Amon-Rá tornou-se a principal divindade de Napata durante a vigésima quinta dinastia e, nessa época, ele era considerado um equivalente a Zeus pelos gregos. Sua principal celebração era o festival Opet, no qual a estátua de Ámon descia o Nilo do templo de Karnak até o templo de Luxor para celebrar o casamento de Ámon com Mut.

Apesar do templo ser uma das maiores estruturas religiosas construídas, também havia um templo flutuante em Tebas coberto de ouro da linha d'água para cima e cheio de cabines, obeliscos e adornos elaborados, conhecido como *Barca de Ámon*.

Joshua J. Mark comenta:

> *A barca de Ámon era conhecida pelos egípcios como Userhetamon, e foi um presente de Ahmose I para a cidade após sua vitória sobre os hicsos e sua ascensão ao trono. (...) No grande festival de Ámon, a Festa de Opet, a barca se movia com grande cerimônia - carregando a estátua de Ámon do templo de Karnak rio abaixo até o templo de Luxor para que o deus pudesse visitá-lo. Durante o festival da Bela Festa do Vale, que homenageia os mortos, as estátuas de Ámon, Mut e Khonsu (a Tríade Tebana) viajavam no barco de um lado ao outro do Nilo para participar.[21]*

Ainda sobre o festival da Bela Festa do Vale, Mark descreve a grandeza das barcas utilizadas para transportar as divindades:

> *Em outros dias, a barca ficava atracada nas margens do Nilo ou no lago sagrado de Karnak. Quando não estava em uso, o navio ficava alojado em um templo especial em Tebas construído de acordo com suas especificações, e todo ano o templo flutuante era reformado e repintado ou reconstruído. Outras barcas de Ámon foram construídas em outras partes do Egito, e havia outros templos flutuantes para outras divindades, mas a Barca de Tebas de Ámon era considerada especialmente impressionante.[22]*

Amon-Rá era considerado o pai e protetor do faraó, e os sacerdotes de Ámon controlavam uma proporção impressionante das terras e recursos egípcios. Na época de Amenhotep

---

21 MARK, J. *Amun*. World History Encyclopedia. Disponível em: <https://www.worldhistory.org/amun/>. Acesso em: 10 jun. 2021.

22 Ibid.

A barca de Ámon durante a caminhada de Karnak a Luxor

III (1286-1353 AEC), os sacerdotes pareciam estar acumulando quase tantas riquezas quanto o próprio faraó. Na intenção de mudar o cenário, o faraó tentou implantar uma série de reformas. A mais significante delas foi elevar Áton, que até então era uma divindade pouco popular, à mesma altura dos cultos de Ámon.

Contudo, as medidas não surtiram muitos efeitos: Áton já estava associado a Ámon e a Rá como o disco solar representante do poder divino do sol, e qualquer reverência a ele era entendida como nada mais nada menos que uma outra forma de culto a Ámon. Vendo que os sacerdotes continuavam acumulando fortunas, o filho de Amenhotep III, o faraó Amenhotep IV, continuou tentando implantar as práticas de seu pai pelos cinco anos seguintes. Ele então proclamou Áton como o único deus verdadeiro e até mudou seu nome para Akhenaton (algo como "para grande uso do deus Áton"). Ele construiu uma nova cidade, abandonou Tebas e decidiu, até

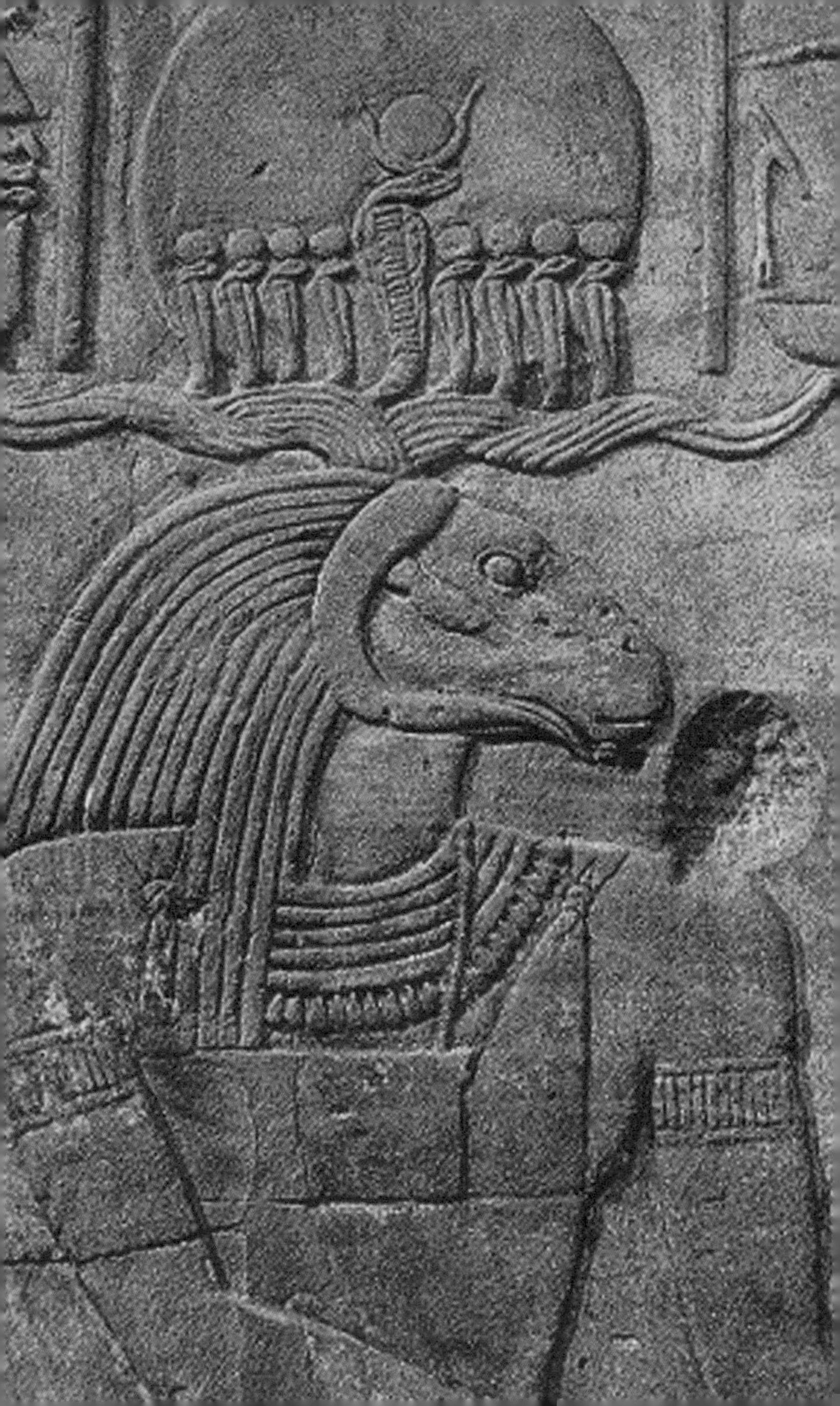

onde lhe fosse possível impor, ignorar os outros deuses do Egito. É claro que algumas pessoas continuaram adorando seus deuses em privado, mas o culto aberto a qualquer um exceto Áton não era tolerado. Após a morte de Akhenaton, seu filho Tutankhaton assumiu o trono e decidiu mudar seu nome para Tutancâmon. Por trás do nome do famoso faraó há camadas linguísticas, religiosas e sociais envolvidas. Tutancâmon fez de Tebas novamente a capital do Egito e reinstalou a religião antiga, reabrindo todos os templos e permitindo os cultos como eles sempre haviam sido.

A popularidade de Ámon diminuiu de modo geral no Egito à medida que Ísis se tornou mais popular, mas ele ainda era adorado regularmente em Tebas, mesmo depois que a cidade caiu em ruínas após a invasão assíria. Seu culto se estabeleceu especialmente na região do Sudão onde, como no Egito, seus sacerdotes se tornaram poderosos e ricos o suficiente para imporem sua vontade aos reis de Meroé.

Até onde se sabe, ele e Osíris são duas das divindades masculinas mais narradas, especialmente em relíquias e tabuinhas, ambos sendo chamados de Rei dos Deuses.

Anat
(Anant, Anit, Anti, Anthat and Antit)

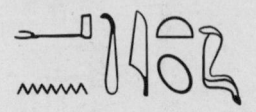

Anat era uma deusa da fertilidade, do amor sexual, da caça e da guerra. Seus atributos variaram amplamente ao longo do tempo, e entre culturas e mitos diferentes. De uma forma paradoxal, ela era considerada a mãe dos deuses, mas também era conhecida como "a Virgem". Ela era às vezes conhecida como "A Devassa" (por causa de seu desejo por sexo e guerra), "A Senhora", "A Destruidora", "A Força da Vida" e "A senhora da Montanha" e tinha uma série de epítetos que parecem ter sido peculiarmente egípcios, como "Anat-her" ("Anat agradável") e "Herit-Anat" ("Terror de Anat").

Na mitologia dos cananeus de Ugarit, Anat era a irmã, amante e vingadora do deus da tempestade Ba'al. No Egito, ela era considerada filha de Rá e consorte do deus da tempestade Seth. No entanto, em Mênfis ela também era considerada filha de Ptá, e os trabalhadores hebreus da décima oitava dinastia a consideravam a esposa de Andjety, que estava associado a Osíris.

Os textos cuneiformes a descrevem como uma deusa agressiva e implacável que destrói os inimigos de Ba'al e atravessa poças de sangue. No entanto, ela também tinha um lado mais gentil: como deusa da sexualidade, ela era considerada a mais bela de todos os deuses, e como deusa da fertilidade protegia as pessoas, os animais e as plantações.[23]

Os egípcios também a associavam a Neith, uma deusa da guerra do Delta relacionada à tecelagem. Ela também era associada ao precioso corante conhecido como Púrpura Tíria (que apesar do nome, às vezes, o púrpura adquiria um tom de vermelho profundo quase da cor do sangue) e ao caracol múrex, do qual o corante era feito.

Na arte egípcia, Anat era geralmente representada como uma mulher nua carregando um escudo, uma lança e um machado e costumava ser acompanhada por um leão, seu animal sagrado. No Egito, ela frequentemente recebia uma coroa emplumada que lembrava a Coroa Branca e portava, além das armas, um *ankh*.

---

23 HILL, J. *Anat*. Ancient Egypt Online. Disponível em: <https://ancientegyptonline.co.uk/anat/>. Acesso em: 4 jul. 2021.

Andjety

Andjety foi o precursor de Osíris no centro de culto de Busiris (importante necrópole e templo de culto a Osíris). Era deus dos animais domésticos e de fazenda. Ele provavelmente introduziu o uso do cajado de pastores como um emblema da realeza. As representações trazem o deus segurando dois cetros na forma de um cajado e um mangual (instrumento para debulhar cereais), insígnias que são os símbolos do domínio de Osíris. Além disso, sua alta coroa cônica decorada com duas penas está claramente relacionada à coroa *Atef* de Osíris. Já no início da Dinastia IV, o Rei Sneferu, o construtor da primeira tumba de pirâmide verdadeira, é esculpido usando a coroa de Andjety. Uma interpretação possível é que Andjety seja uma personificação da soberania, o que o tornaria prontamente absorvido pela natureza de Osíris e, por extensão, pelo próprio faraó.

Andjety era retratado como um homem idoso que carregava todos os emblemas da realeza e usava uma coroa com duas penas, aludindo à coroa de *Atef* usada por Osíris. Ele também recebia o epíteto de "touro dos abutres" nos Textos dos Sarcófagos, confirmando seu papel como consorte viril das deusas antigas.

Ele também figura no contexto funerário, sendo um dos responsáveis pelo renascimento na vida após a morte. Nesta posição, às vezes ele era descrito como um deus do renascimento e considerado o marido de Meskhenet, uma antiga deusa do nascimento. No entanto, os trabalhadores hebreus que se estabeleceram no Egito durante a décima oitava dinastia o consideravam marido de Anat, uma deusa da guerra.

Algumas menções a Andjety

[Texto dos Sarcófagos V-385] *"Eu mergulho os cursos d'água como Osíris, Senhor da corrupção, como Andjety, touro dos abutres."*

[TS I-255] *"Ó Horus, Senhor da Vida, vá rio abaixo e rio acima de Andjety, faça uma inspeção daqueles que estão em Djedu, venha e vá em Rosetau, Limpe a visão daqueles que estão no submundo. Mais longe, rio acima, de Rosetau a Abidos, o lugar primitivo do Senhor de Todos."*

[Textos das Pirâmides (TP) 182] *"Em seu nome aquele que está em Andjet, chefe de seus nomos."*

[TP 220] *"Que seu cajado seja o guia dos espíritos, como Anúbis, que preside os ocidentais, e Andjety, que preside os nomos orientais."*

[TP 614]: *"Hórus o reviveu em seu nome de Andjety."*[24]

---

24 WILLOCKX, S. *Magic and Religion in Ancient Egypt: part II "an ennead of enneads"*. Disponível em: < http://www.egyptology.nl/pdf/magic/2ndprevw.pdf>. Acesso em 13 out. 2021.

Representação de um cajado e mangual egípcio

Coroa Atef.

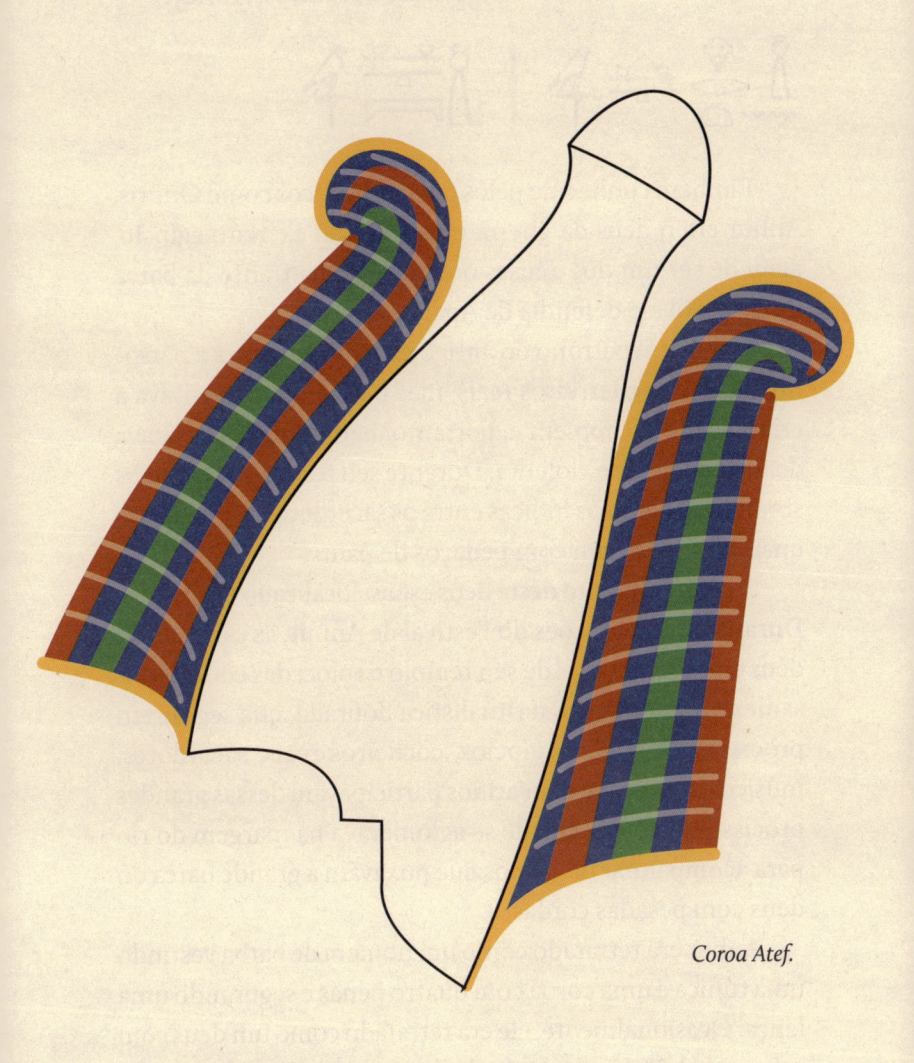

Anhur
(Onuris, Onouris, An-Her, Anhuret, Han-Her, Inhert)

Também conhecido pelos povos helênicos como Onuris, Anhur era o deus da guerra e patrono do exército egípcio, além de ser um dos deuses que ficavam na frente da barca do deus Sol e o defendia de Apep.

Ele era um patrono do antigo exército egípcio e a personificação dos guerreiros reais, mas também representava a criatividade do homem e, portanto, nem sempre se tratava de uma divindade violenta. Durante seu festival, os egípcios simulavam batalhas lúdicas entre os sacerdotes e o povo, nas quais eles se batiam com pedaços de pau.

O centro de culto deste deus estava localizado em Thinis. Durante as celebrações do Festival de Anhur, as estátuas do deus eram removidas de seu templo e colocadas cerimoniosamente em uma barca ritualística dourada, que seguia em procissão. Soldados egípcios, cocheiros reais, sacerdotes, músicos, cantores e dançarinos participavam dessas grandes procissões e toda a cidade se aglomerava na margem do rio para acompanhar os grupos que puxavam a grande barca do deus com pesadas cordas.

Anhur era retratado como um homem de barba vestindo uma túnica e uma coroa com quatro penas e segurando uma lança. Ocasionalmente, ele era retratado como um deus com cabeça de leão (representando força e poder).

Ele era filho de Rá, mas também era considerado filho de Hator. Por ser um deus da guerra, estava intimamente associado a Montu e Sopdu, e os gregos e os romanos o associavam, respectivamente, a Ares e Marte. Durante o Império Romano, o imperador Tibério era representado nas paredes dos templos egípcios usando a distinta coroa de quatro plumas de Anhur.

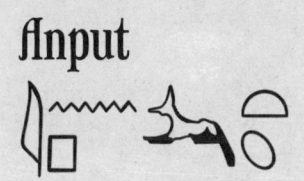

Anput

Na mitologia egípcia, Anput é a deusa dos funerais e da mumificação. Ela também é a esposa de Anúbis e a mãe de Kebechet, a deusa da purificação.

Seu nome é a versão feminina de uma variante do nome de seu marido "Anpu" (Anúbis), visto que [-t] era o sufixo usado para criar nomes femininos. Ao contrário do marido, entretanto, ela não tinha um papel proeminente na mitologia egípcia. Quando referenciada, ela geralmente está em sua função de representante de alguma tríade. O exemplo mais notável é a tríade formada pelo faraó Miquerinos, a deusa do amor Hator e Anput.

Frequentemente, ela era retratada como uma chacal grávida ou amamentando. Ela também é retratada como uma mulher, com uma coroa mostrando um chacal reclinado sobre uma pena.

Hator, Miquerinos e Anput

Anúbis

Anúbis era a divindade da mumificação, o deus patrono das almas perdidas e dos indefesos e o responsável por conduzir os falecidos à vida após a morte.

O nome "Anúbis" é a forma grega do nome egípcio Anpu (ou Inpu), que significa "decair", já apontando para a sua associação imediata com a morte. Antes da ascensão de Osíris no Império Médio, ele era conhecido como "o primeiro dos ocidentais", ou seja, o rei dos mortos, já que "ocidentais" era como os egípcios se referiam às almas que haviam partido para a vida após a morte e se dirigiam para o oeste, na direção do pôr do sol. Além deste, Anúbis também tinha uma série de outros epítetos, sendo conhecido como o "Senhor da Terra Sagrada" (referindo-se à área do deserto onde as necrópoles estavam localizadas); "Aquele que está sobre sua montanha sagrada" (referindo-se aos penhascos ao redor de uma determinada necrópole onde cães selvagens e chacais se reuniam); "Governante dos Nove Arcos" (uma referência à frase usada para os inimigos tradicionais do Egito que eram representados como nove cativos se curvando diante do rei); "O Cão que Engole Milhões" (referindo-se simplesmente ao seu papel como um deus da morte); "Mestre dos Segredos" (já que ele sabia o que esperava além da morte) e "Aquele que está no local de embalsamamento" (indicando seu papel no processo de mumificação).[25]

---

[25] PORTAL ALEXANDRIA. *Anúbis (divindade egípcia)*. Disponpível em: < https://alexandriatraducoes.wordpress.com/2019/03/04/anubis-divindade-egipcia/>. Acesso em 17 out. 2021.

Inicialmente, ele era relacionado à Ogdóade de Hermópolis como o deus do submundo. Nos Textos da Pirâmide de Unas, Anúbis é associado ao Olho de Hórus, que atuava como um guia para os mortos e os ajudava a encontrar Osíris. Em outras versões, Anúbis e Wepwawet (Upuaut) levavam os falecidos aos corredores do Salão da Verdade, onde seriam julgados. Anúbis cuidava de todo o processo e garantia que a pesagem do coração fosse realizada corretamente. Ele então conduzia os inocentes para uma existência celestial e abandonava os culpados para serem devorados por Ammit.

Os antigos egípcios acreditavam que a preservação do corpo e o uso de ervas e plantas cheirosas ajudariam os falecidos, porque Anúbis farejaria a múmia e estaria mais inclinado a deixar os puros seguirem para o paraíso.

Como era comum, a mitologia egípcia é extremamente fluída no que diz respeito às origens e ao nascimento de Anúbis. Ele foi inicialmente considerado filho de Rá e Hesat, mas após sua assimilação ao mito de Osíris passou a ser tido como filho de Osíris e de sua cunhada Néftis. Ele é, normalmente, o primeiro deus a ser representado nas paredes da tumba e invocado para proteção dos mortos, geralmente cuidando do cadáver do rei, presidindo a mumificação e funerais, ou estando perto de Osíris, Thoth e outros deuses na pesagem do coração da alma no Salão da Verdade.

Anúbis é retratado como um canídeo preto, um híbrido de cachorro e chacal com orelhas pontudas ou como um homem musculoso com cabeça de chacal. A cor preta provavelmente foi escolhida por seu valor metafórico, por simbolizar a decadência do corpo, bem como o solo fértil do Vale do Rio Nilo, que representava regeneração e vida.

Desse modo, o poderoso canídeo preto era o protetor dos mortos e lhes garantia o recebimento de seus devidos direitos no sepultamento, apoiando-os na vida após a morte para ajudá-los em sua ressurreição. Uma imagem muito comum de Anúbis é um homem com cabeça de chacal segurando a balança de ouro na qual o coração da alma era pesado contra a pena branca da verdade.

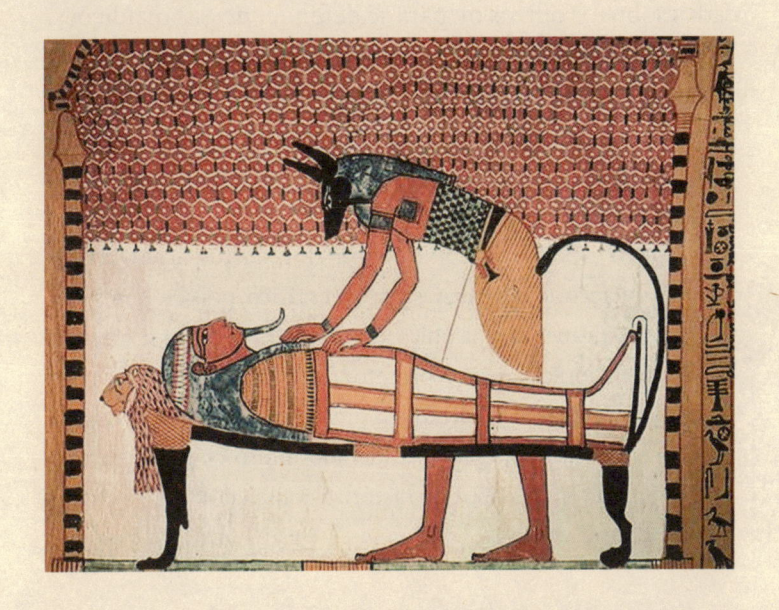

No início do período dinástico e no Império Antigo, Anúbis era o único Senhor dos Mortos e juiz justo da alma, mas à medida que o mito de Osíris se tornava mais popular, este último assumiu cada vez mais os atributos de Anúbis. No entanto, ele permaneceu como um deus muito popular, e assim foi assimilado ao mito de Osíris. Sua ascendência e história anteriores foram descartadas e tornou-se filho de Osíris e Néftis.

Após sua assimilação ao mito de Osíris, Anúbis passou a ser regularmente visto como seu protetor e "braço direito", aquele que guardava o corpo dos falecidos após a morte, supervisionava a mumificação e ajudava Osíris no julgamento das almas. Anúbis era regularmente inconvocado (conforme atestado por amuletos, pinturas em tumbas e em obras escritas) para proteção e vingança, sendo especialmente um aliado poderoso para fazer cumprir as maldições colocadas sobre os outros ou para se defender dessas maldições.

Embora a divindade seja muito bem representada nas obras de arte ao longo da história do Egito, ela não desempenha um papel importante em muitos mitos. Sobre o tema, Joshua J. Mark comenta:

> Seu papel inicial como Senhor dos Mortos, antes da assimilação ao mito de Osíris, era estático, pois ele desempenhava apenas uma única função solene que não se prestava à elaboração. Como protetor dos mortos, que inventou a mumificação e, portanto, a preservação do corpo humano, ele parece ter sido considerado muito ocupado para se envolver nos tipos de histórias contadas sobre os outros deuses egípcios.[26]

Embora seu papel nos mitos seja pequeno, sua popularidade era imensa, especialmente em Cynópolis ("a cidade do cachorro"), que ficava no Alto Egito. Ainda que seu centro de culto ficasse lá, havia santuários para ele em todas as regiões do Egito. Os sacerdotes de Anúbis eram homens e frequentemente usavam máscaras do deus feitas de madeira enquanto faziam os rituais.

---

26 MARK, J. *Anubis*. Edukavita. Disponível em: < https://edukavita.blogspot.com/2015/06/anubis-afrodite-uma-breve-historia-da.html>. Acesso em: 17 out. 2021.

Anuket
(Anukis, Anket)

A antiga deusa egípcia Anuket era uma personificação do Nilo, responsável por nutrir os campos. Ela também era uma deusa da caça e considerada uma divindade protetora durante o momento do parto.

A deusa era geralmente representada como uma mulher que usava uma coroa alta feita de junco ou de penas de avestruz e, na maioria das vezes, aparecia segurando um cetro e o *ankh*. Ocasionalmente, era representada também na forma de uma gazela.

Ela era originalmente filha de Rá, mas parece ter sido associada a Satet desde os tempos antigos. Durante o Império Novo, ela foi colocada na tríade de Abu com Khnum e Satet. Essas três divindades da água protegiam as cataratas do Nilo e a área que os egípcios acreditavam ser a origem do rio.

Seu festival era realizado quando a enchente do rio começava. As pessoas jogavam moedas, ouro, joias e presentes preciosos no Nilo para agradar a deusa e obter seus favores. Mais tarde, ela foi identificada com Néftis no templo "Per-Mer" devido às ligações de Satet com a deusa Ísis e à ligação de Khnum com Osíris.

Apófis (Apep)

Apófis, também conhecido como Apep, era a antiga divindade egípcia que encarnava o caos (*izft*, em egípcio) e era, portanto, o oponente da luz e de *Ma'at*, o antigo conceito egípcio de ordem, verdade e justiça.

Ele era conhecido, então, como o deus do caos, da escuridão e da destruição e, em algumas versões de sua lenda, Apófis era na verdade um ex-deus do Sol, que fora colocado de lado quando Rá começou a se tornar mais popular. Rá e Apófis estariam, portanto, lutando constantemente, já que Apófis não quer que ele tenha sucesso em sua tarefa de trazer o amanhecer todos os dias.

Apófis era uma cobra gigante, e, por esse motivo, tinha epítetos como "lagarto do mal" ou "serpente do Nilo". Algumas histórias contavam que seu corpo teria quase 15 metros de comprimento; outras, que sua cabeça seria feita de sílex, um tipo de pedra dura e afiada. O corpo gigantesco de Apófis poderia representar uma espécie de vazio ou "buraco negro", que forçava aqueles que ele engolia à não-existência, algo muito temido pelos antigos egípcios. Algumas histórias, provavelmente relatos romanos posteriores, descrevem Apófis como uma enorme cobra dourada com quilômetros de comprimento que tentava engolir o Sol todas as noites enquanto Rá atravessava o mundo subterrâneo. Também eram atribuídos a ele os acontecimentos de muitos fenômenos indesejados: dizia-se, por exemplo, que os terremotos seriam o resultado de seu corpo se contorcendo no mundo subterrâneo.

Apófis é certamente um dos poucos deuses egípcios que sempre é representado de uma forma monstruosa. Mesmo assim, ele era respeitado como um dos deuses mais poderosos pela civilização. Seria impossível derrotá-lo, apenas desacelerá-lo. Os egípcios faziam figuras ou efígies da cobra e depois a queimavam, amaldiçoavam, pisavam ou até cuspiam nela. Esta era a maneira que viam de ajudar Rá e os outros deuses, garantindo que o sol nascesse novamente no dia seguinte.

Ash (As)

Deus do deserto da Líbia, uma divindade gentil que fornecia o oásis para os que por ali viajavam. Tinha relação com Set, que era originalmente o deus do deserto. Menções a ele podem ser achadas desde o Período Protodinástico até a XXVI Dinastia Egípcia.

Áton
(Aten, Atonu, Itn)

Áton é o disco solar, o Sol visível no céu diariamente e aquele que expressa indiretamente a força vivificante da luz.

Durante o reinado do faraó Akhenaton (1352-1336 AEC), Áton foi, talvez, o principal Deus do Antigo Egito, e a adoração de muitos dos deuses tradicionais foi colocada em segundo plano ou rejeitada. Áton não era, contudo, um novo deus,

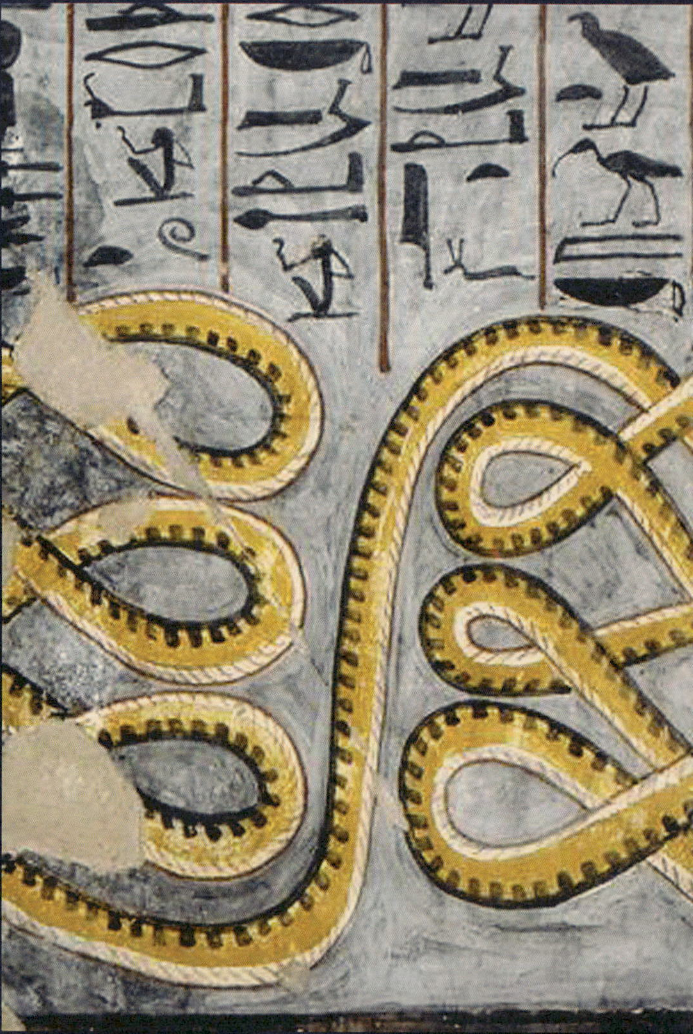

O antigo deus Apófis

mas um aspecto obscuro do deus Sol, que era adorado desde o Império Antigo e que era normalmente entendido como um deus composto de três divindades (Rá-Ámon-Hórus). Rá representava o sol diurno; Ámon, o sol no submundo e Hórus representava o nascer do sol. Akhenaton proclamou "Áton" (o próprio Sol visível) como a única divindade, levando a adoração ao sol um estágio adiante.

Sendo a luz do sol e a energia do mundo, Áton era onipresente e intangível e, portanto, ele não tinha as representações físicas que os outros deuses egípcios tinham. Ele era representado como um disco de sol emitindo raios que terminam nas mãos do rei ou da rainha. Assim, Áton transmite sua beleza (*neferu*) ao monarca que é o intercessor entre a humanidade e o deus.

Áton era adorado à luz do sol, em vez de nos recintos escuros dos templos, como os deuses antigos muitas vezes eram. Todavia, estava longe de ser um culto aberto ao povo, apenas Akhenaton e sua família podiam se conectar com o deus. Por esse motivo, ao que tudo indica, as pessoas comuns não aderiram inteiramente à nova crença, mas continuaram a adorar os antigos deuses em particular.

Atom

Uma das principais divindades desde os primórdios da mitologia egípcia, Atom foi o primeiro deus a existir na Terra a partir das águas do Caos e criou todos os outros deuses e o universo. Seu nome significa "Completo" ou "Perfeição", indicando o sentido de totalidade relacionado ao deus.

Criou o primeiro casal divino, Shu e Tefnut, e dessa união todos os outros deuses descendem. Ele também era considerado o pai dos Faraós, e muitos deles usavam o título de "Filho de Atom". A partir do Império Novo, ele aparece frequentemente inscrevendo nomes reais nas folhas da árvore sagrada e, em algumas inscrições do Baixo Egito, ele aparece coroando o Faraó (por exemplo, no santuário de Ramsés II na cidade de Pitom ou Per-Atum).

Foi considerado um dos deuses do sol, o que explica sua afiliação com deuses posteriores. Textos nas tumbas do Novo Reino no Vale dos Reis, perto de Tebas, descrevem Atom como um homem idoso com cabeça de carneiro que supervisiona a punição de malfeitores e os inimigos do deus sol. Ele também repele algumas das forças do mal no mundo inferior e fornece proteção a todas as pessoas boas.

Atom é geralmente representado de forma antropomórfica e normalmente está usando a coroa dupla do Alto e do Baixo Egito. Um dos únicos detalhes que o distinguem de um Faraó é o formato de sua barba. Em seu papel no submundo, assim como em seu aspecto solar, ele também é frequentemente apresentado com a cabeça de um carneiro. Ele pode estar sentado em um trono, mas também pode ser mostrado em pé, ou mesmo apoiado em um cajado, por ser idoso.

Entretanto, ele também estava associado a outros animais, como a cobra, o touro, o leão, o lagarto e o icnêumone (mangusto egípcio) e, em seu aspecto como divindade solar, ele também era descrito como um escaravelho. Além disso, vários caixões pequenos de bronze contendo enguias mumificadas, carregando uma figura do peixe no topo da caixa e uma inscrição gravada nele, atestam mais uma variante zoomórfica de Atom.

Outra parte de Atom com existência independente era seu olho. O emaranhamento de Atom com Rá é expresso no mito em que Atom envia seu olho para trazer luz às trevas primitivas. Este olho também era uma deusa, filha e consorte do criador, conhecida principalmente como o Olho de Rá, mas ocasionalmente como o Olho de Atom. Esses termos poderiam ser usados para expressar um contraste entre o aspecto obstinado e perigoso dessa deusa (o Olho de Rá) e seu aspecto mais ameno e protetor (o Olho de Atom). Às vezes, no entanto, o Olho de Rá era o Sol e o Olho de Atom, a Lua. Em um estágio posterior da história mítica, Atom-Rá e sua filha guerreira travaram uma grande batalha contra as forças do caos. O evento-chave foi o massacre do monstro do caos, Apófis, sob a árvore lavrada, uma árvore sagrada que crescia em Heliópolis e estava ligada ao destino de todos os seres.

Curiosamente, no Livro dos Mortos, Atom diz a Osíris que ele acabará por destruir o mundo, submergindo tudo de volta nas águas primitivas das quais ele mesmo criou o cosmo no início dos tempos. Nessa inexistência, Atom e Osíris sobreviveriam na forma de serpentes.

Ba'al

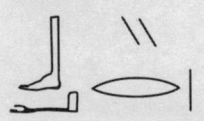

Deus da tempestade original da Fenícia, seu nome significa "Senhor". Ele era uma divindade importante em Canaã e foi adorado no Egito apenas no período posterior ao Império Novo.

Ba'al segurando um raio.

Babi (Baba)

Babi era um deus representado na forma de um macaco babuíno. Era símbolo da virilidade. Como imaginava-se que os babuínos estivessem mortos, Babi também era visto como um deus do submundo. Os babuínos eram tidos como criaturas agressivas e sanguinárias, e, por isso, em alguns momentos imaginava-se que a divindade devorasse as almas dos pecadores. Rituais eram necessários para que houvesse medidas mágicas de proteção contra esse deus, principalmente na pesagem dos corações.

Banebdjedet

Banebdjedet era um antigo deus egípcio representado com quatro cabeças de carneiro, cultuado especialmente na cidade de Mendes, conhecida anteriormente como Djedet, a nordeste do delta do Nilo. O nome é traduzido como "o *ba* (essência, alma) do senhor de *Djedet*". Uma alusão ao pilar Djed (que representava estabilidade), considerado a espinha dorsal de Osíris e muito importante na cidade de Djedet. A partir do nome, podemos observar um pouco de como era a visão egípcia sobre a morte: embora a temessem, reconheciam a estabilidade e o equilíbrio inerentes ao ciclo de decadência e renascimento. Banebdjedet era, portanto, de certa forma, a deificação do *Ba*.

A palavra "ba", em egípcio, era representada pelo mesmo hieróglifo que a palavra para "carneiro". Como resultado, Banebdjedet era descrito como um carneiro ou um homem com a cabeça do animal. Na cidade de Djedet — perto do centro de culto de Osíris em Djedu (ou Busiris) —, os carneiros eram adorados vivos e, ao morrerem, eram mumificados e enterrados com toda a pompa e cerimônia de um Faraó em sua própria necrópole.

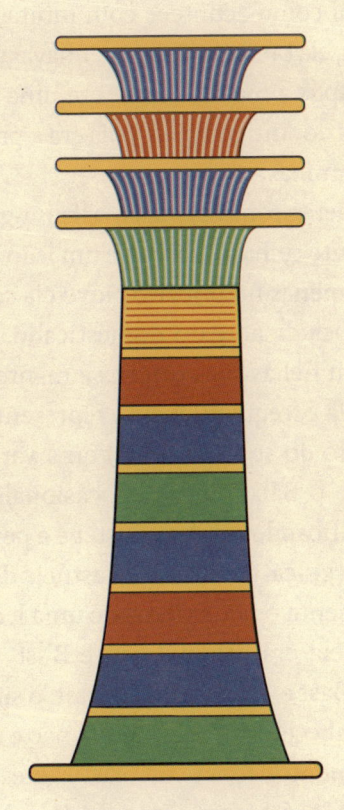

O símbolo Djed representava a estabilidade e era considerado a espinha dorsal de Osíris.

Bastet
(Bast, Boubastist, Pasht)

Bastet é a deusa egípcia do lar, da domesticidade, dos segredos das mulheres, dos gatos, da fertilidade e do parto. Ela era responsável por proteger a casa dos maus espíritos e doenças e, tal como acontece com muitas divindades da religião egípcia, ela também desempenhava um papel importante na vida após a morte. Bastet era uma das divindades mais populares do Antigo Egito, pois era a protetora da casa e de todas as famílias.

Ela é geralmente considerada uma deusa-gato, no entanto, ela originalmente tinha a cabeça de um leão ou de um gato-do-deserto e apenas no Império Novo ela se tornou exclusivamente associada ao gato domesticado. Mesmo assim, ela permaneceu fiel às suas origens e manteve seu aspecto de guerreira. Ela é frequentemente representada segurando o *ankh* (símbolo do sopro da vida) ou a varinha de papiro (representando o Baixo Egito) e, ocasionalmente, carrega um cetro (significando a força). Bastet é a personificação da brincadeira, da graça, do afeto e da astúcia de um gato, mas também representa o poder feroz de uma leoa.

O nome dela era originalmente B'sst, que se tornou Ubaste, então Bast e, finalmente, Bastet; o significado desse nome não é conhecido ou, pelo menos, não é universalmente aceito. Os elementos fonéticos "bas" são escritos com um jarro de óleo (o "t" é a terminação feminina), o que indica a possibilidade de seu nome representar "Aquela do jarro de óleo". O frasco de óleo pode indicar uma associação com o perfume, que é reforçada pelo fato de ela ser considerada a mãe de Nefertum, um deus do perfume. Assim, seu nome implicaria que ela é doce e preciosa, mas que, no fundo, também há o coração de um predador. Mesmo assim, existem outras possibilidades e os estudiosos não chegaram a um acordo sobre o real significado.

Os gatos eram sagrados para Bastet, e fazer mal a algum deles era considerado uma ofensa contra ela. Seus sacerdotes mantinham gatos sagrados em seu templo, que eram considerados encarnações da deusa e que, ao morrer, eram mumificados e podiam ser apresentados à deusa como oferenda. Os antigos egípcios davam grande valor aos gatos porque eles protegiam as plantações e retardavam a disseminação de doenças matando pestes. Como resultado, Bastet era vista como uma deusa protetora das mulheres e da família, embora também fosse adorada pelos homens, pois todo homem tinha uma mãe, irmã, namorada, esposa ou filha que se beneficiava dos cuidados que Bastet oferecia. Além disso, as mulheres no Egito eram tidas em alta conta, o que lhes proporcionava uma deusa para proteger e guardar os segredos das mulheres.

Embora fosse muito venerada, era igualmente temida, como demonstram dois de seus títulos: "A Senhora do Terror" e "A Senhora do Massacre". Ela está associada tanto a Mau, o gato divino que é um aspecto de Rá, quanto a Mafdet, deusa da justiça e a primeira divindade felina da história egípcia.

Com o tempo, Bastet foi perdendo todos os traços de sua forma leonina e passou a ser retratada como um gato doméstico ou uma mulher com cabeça de gato, muitas vezes segurando um sistro. Na arte, às vezes, ela é representada com uma ninhada de gatinhos a seus pés, mas sua representação mais popular é de um gato sentado olhando para a frente.

Ilustração de uma estatueta da deusa Bastet segurando o sistro sagrado e rodeada por filhotes de gato.

Bennu

A divindade-ave mais conhecida como Pássaro Bennu é o pássaro divino da criação e serviu de base de inspiração para a Fênix Grega. O pássaro Bennu estava intimamente associado a Atom, Rá e Osiris e esteve presente no alvorecer da criação como um aspecto de Atom (Rá) que teria voado sobre as águas primordiais e despertado a criação com seu grito. Posteriormente, ele determinou o que seria e o que não seria criado. Bennu era associado a Osíris por meio da imagem do renascimento, pois o pássaro estava intimamente ligado ao sol que "morria" todas as noites e "ressuscitava" na manhã seguinte.

Como acontecia com Atom e Rá, o centro de culto e adoração de Bennu era, provavelmente, Heliópolis. A divindade também aparece em amuletos em forma de escaravelho encontrados em contexto funerário como símbolo de renascimento.

Bes
(Aha ou Bisu)

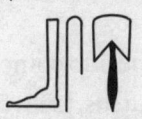

Era um deus anão que atuava em diversas esferas da vida egípcia como a fertilidade, o parto, o humor e até mesmo a guerra, mas, era principalmente considerado uma figura protetora. Bes é um ser complexo, pois era tanto uma divindade quanto um demônio — não no sentido que a sociedade ocidental de tradição judaico-cristã entende a palavra contemporaneamente, mas como uma forma de espírito. Ele foi um dos deuses mais populares da história egípcia, porque protegia em especial mulheres e crianças, lutava contra o mal e a favor da ordem e da justiça divinas.

Ele é frequentemente entendido mais como esse espírito do que como uma divindade, mas era propriamente adorado como um deus e representado em uma série de itens do cotidiano e das casas dos egípcios, como móveis, espelhos e cabos de facas. Sua consorte era Taweret, a deusa hipopótamo do parto e da fertilidade.

Bes é retratado como um anão barbudo com orelhas grandes e pernas arqueadas que sacudia um chocalho. Ele sempre é mostrado em uma posição de proteção voltada para a frente, cuidando de seus pupilos. Ser ilustrado de frente era raro na arte egípcia e isso sugeriu uma possível conexão com Hator, que também costumava ser representada no mesmo ângulo.

Às vezes, trazia traços felinos ou de leão, ostentando uma longa cauda. Esse fato acabou levando estudiosos a especularem se, em tempos anteriores, ele era de fato um anão ou um leão ou gato se erguendo nas patas traseiras. Seu nome pode ser derivado da palavra núbia para gato (*besa*), mas é igualmente provável que ele sempre tenha sido visto apenas como um anão com a força e o poder de um gato.

Ao que se parece, ele era originalmente conhecido como "Aha" ("lutador") porque conseguia estrangular ursos, leões e cobras com as próprias mãos. Ele era visto como um apoiador de Rá e um deus da guerra que protegia o faraó e o povo do Egito das forças do mal. Com o tempo, Bes passou a ser interpretado como a representação de tudo que é bom e o inimigo de tudo que é ruim.

Como resultado, ele também se tornou um deus do parto. Achava-se que ele poderia assustar quaisquer espíritos malignos que estivessem à espreita se dançasse, gritasse e agitasse seu chocalho. Se a mãe estivesse passando por dificuldades durante o parto, uma estátua de Bes era colocada perto de sua cabeça e a ajuda dele era invocada em seu nome. Bes permanecia ao lado da criança após o nascimento para protegê-la e entretê-la. Dizia-se que se um bebê ria ou sorria sem motivo, era porque Bes estava fazendo caretas engraçadas. No Império Novo, ele era uma figura regular nas ilustrações nas paredes do *mammisi* ("casa de nascimento"), uma espécie de capela anexa a um templo maior, onde geralmente retratava-se cenas relacionadas ao nascimento de uma divindade ou de um jovem deus de uma tríade ou culto local.

Bes também tinha o poder de expulsar os espíritos malignos e zombeteiros que causavam acidentes ou faziam travessuras. Muitos antigos egípcios colocavam uma estátua de Bes perto da porta de sua casa para protegê-los de tais incidentes.

Sua proteção também podia ser invocada se sua imagem fosse tatuada diretamente ao corpo, e os artistas costumavam fazer tatuagens de Bes por causa de sua associação com a dança e a música. Também acreditava-se que as prostitutas sagradas tinham Bes tatuado perto de sua região púbica para prevenir doenças venéreas, mas também é possível que as tatuagens estivessem relacionadas à fertilidade.

Seu aspecto feminino era Beset, invocada na magia cerimonial para afastar forças maléficas. Por se tratar de uma deusa protetora, Beset também rechaçava a magia negra, fantasmas, espíritos e demônios.

Buchis

Aspecto do *Ka* (força vital / eu astral) do deus Montu na forma de um touro vivo. Era representado como um touro de corpo branco e cabeça preta com um disco solar e duas penas altas; por vezes, também como um homem com cabeça de touro.

Duamutefe

Um dos quatro filhos de Hórus, era um deus associado ao estômago, que os antigos egípcios acreditavam ser, junto ao torso, um dos órgãos mais prováveis de serem fatalmente lesionados nas guerras. Assim, ele era associado à morte por guerra e ganhou o nome de Duamutefe, que significa "adorando sua pátria". Inicialmente, ele era representado como um homem envolto em bandagens de múmia, mas posteriormente passou a ter a forma de um chacal. Geralmente, ele era representado em caixões e tampas de potes canópicos, onde muitas imagens do Julgamento dos Mortos o retratam ao lado de seus irmãos e na frente de Osíris.

Geb

Para os antigos egípcios, Geb era o deus e a personificação da terra. A existência de Geb é incomum por se tratar de um deus masculino, enquanto a maioria das culturas antigas associava a Terra a alguma divindade feminina.

O nome de Geb era frequentemente invocado para pedir colheitas abundantes e curar pessoas doentes, especialmente aquelas afetadas por doenças criadas por elementos naturais, como picadas de escorpião e resfriados.

Geb é, muitas vezes, considerado uma figura ambivalente: por um lado, ele era capaz de criar terremotos com suas risadas e, como o deus da terra, criara os desertos inóspitos e massivos que isolaram o Egito do resto do mundo antigo, mas também poderia ser um deus bom, afinal, ele criara as terras exuberantes e férteis ao redor do rio Nilo. Sob a influência de Geb, aqueles que nele acreditassem seriam abençoados com colheitas abundantes e suficientes para engordar seu gado.

Embora as origens exatas do mito do deus sejam desconhecidas, muitos estudiosos concordam que a região de Heliópolis era o lugar que mais concentrava sua adoração. Localizada perto da capital moderna do Egito, Cairo, Heliópolis originou, adotou e espalhou o antigo mito da criação egípcio, do qual todas as narrativas posteriores evoluíram.

Geb é tipicamente retratado como um homem de pele escura e esse tom de pele provavelmente representa o solo fértil do Nilo e o crescimento da vegetação — as cores da vida para os antigos. Além disso, Geb também aparece com a coroa *Atef*, uma coroa de penas brancas associada a Osíris.

A representação física mais antiga de Geb pode ser datada da Terceira Dinastia do Antigo Egito. Uma escultura em relevo fragmentada foi encontrada em Heliópolis e retrata o deus egípcio como uma misteriosa entidade antropomórfica barbada. Em registros posteriores, Geb é retratado à semelhança de um carneiro, de um touro ou de um crocodilo. O último pode ser encontrado em uma vinheta do Livro dos Mortos, a coleção de feitiços antigos que ajudariam a alma do falecido a fazer uma passagem segura para a vida após a morte.

O principal símbolo de Geb era, entretanto, o ganso, que simboliza a vida exuberante encontrada em partes do Crescente Fértil. Geb também era fortemente associado a cobras: relevos e outras artes do Egito Antigo retratam Geb como parte homem e parte cobra para enfatizar essa relação. No Livro dos Mortos, Geb era descrito como o pai da cobra Nehebkau.

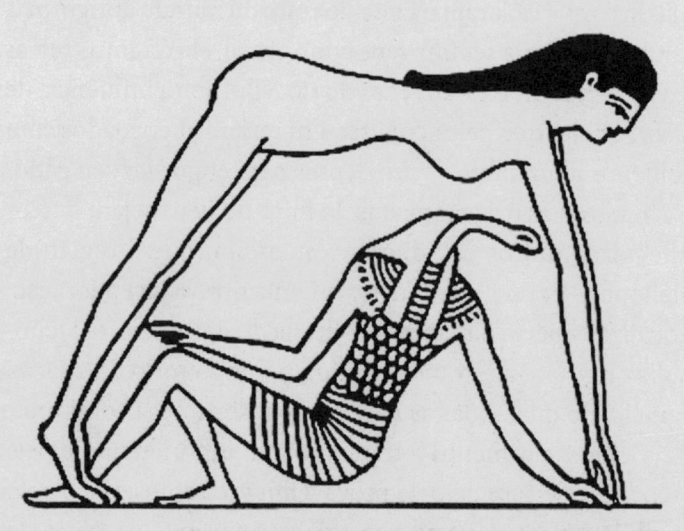

A deusa do céu Nut cobrindo Geb, que aparece com uma cabeça de serpente

Ele também apoiou o direito de Hórus ao trono após a morte de Osíris. Como os egípcios acreditavam que o faraó era a imagem viva de Hórus, o comandante às vezes era conhecido como o "Herdeiro de Geb". A cerimônia para marcar a ascensão de um novo faraó envolvia a liberação de quatro gansos selvagens, para os quatro cantos do céu, para trazer sorte ao novo rei. Durante o período ptolomaico, Geb foi equiparado ao deus grego Cronos (tempo). Ele também era chamado de "Rpt" (o chefe tribal hereditário dos deuses), e a própria terra era chamada de "pr-gb-b" ("A Casa de Geb").

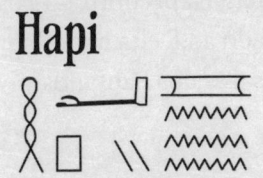

Hapi

Hapi era um deus da água e da fertilidade popular em todo o Egito Antigo, especialmente em Aswan e Gebel El-Silsila. Ele também era um dos quatro filhos de Hórus.

Hapi era o patrono do Alto e Baixo Egito e, como tal, era descrito como uma divindade gêmea chamada Hap-Reset (Alto Egito) e Hap-Meht (Baixo Egito). Essas divindades eram representadas derramando água de uma jarra — o que simbolizava a cheia — ou amarrando as plantas heráldicas do Alto e do Baixo Egito (o papiro e o lótus, respectivamente) em um nó que se assemelhava à palavra hieroglífica *sema* (unida). Este papel, bem como sua conexão com o Nilo e a cheia, fazia dele uma das divindades mais populares e poderosas do Antigo Egito, mas nenhum templo que fosse especificamente dedicado a ele foi descoberto.

Nos textos, pede-se que Hapi envie ao povo uma boa cheia. De acordo com o mito, o rio fluía da casa de Hapi através dos céus e da terra dos mortos antes de emergir de uma caverna em algum lugar nas montanhas. A época da cheia era chamada de "Chegada de Hapi" e, nela, os egípcios colocavam estátuas do deus nas vilas e cidades para que pudessem pedir sua ajuda naquele momento. Eles também jogavam oferendas no rio em locais sagrados para garantir que a cheia não fosse muito baixa — deixando água insuficiente para as plantações — ou muito alta, arriscando, assim, a destruição de suas casas de tijolos de barro.

Embora os deuses Khnum, Anuket e Satet fossem os guardiões da nascente do Nilo e garantissem que a quantidade correta de lodo fosse deixada pelas águas, Hapi controlava o próprio fluxo. Ele também era associado ao Delta e recebia o epíteto de "Senhor dos Peixes e Pássaros dos Pântanos".

Hator

Hator era uma das deusas mais populares em todo o Egito. Com isso, ela também evoluiu para outras divindades, com funções e associações distintas. Ela é frequentemente descrita como uma mulher com cabeça de vaca, ou pelo menos chifres de vaca, e carrega entre eles um disco solar. Às vezes, ela é retratada como um hipopótamo, um falcão, uma cobra ou uma leoa, mas isso não acontece tão frequentemente. Seus símbolos incluem o sistro, os chifres e a coroa do disco solar, uma palheta de papiro, um *menat* (um colar ritual que simboliza o renascimento com propriedades percussivas) e espelhos. Seu nome significa "a casa de Hórus", referindo-se ao céu, a residência de Hórus e a família real do faraó.

Não há dúvida de que sua adoração já estava bem estabelecida no Império Antigo, pois ela aparece com Bastet no templo do Vale de Quéfren em Gizé. É possível que Hator represente o Alto Egito e Bastet, o Baixo Egito.

Ela era originalmente uma personificação da Via Láctea, que os egípcios imaginavam ser o leite que fluía dos úberes de uma vaca celestial (ligando-a a Nut, Bat e Mehet-Weret). Com o passar do tempo, Hator absorveu os atributos de muitas outras deusas, mas também se tornou mais associada a Ísis, que, em certo ponto, usurpou sua posição como a deusa mais popular e poderosa. Ísis assimilou muitas de suas funções e adaptou sua iconografia de tal forma que em muitas obras pictóricas e escultóricas é difícil de assegurar qual das duas deusas está sendo retratada. No entanto, Ísis era em muitos aspectos uma divindade mais complexa, que sofrera a morte de seu marido e tivera que lutar para proteger seu filho pequeno, podendo, assim, entender as provações e tribulações do povo e se relacionar com ele. Hator, por outro lado, era a personificação do poder e do sucesso. Outra diferença notável é que enquanto Ísis era misericordiosa, Hator era sempre muito determinada a conseguir o que almejava. Entretanto, mesmo com a popularidade de Ísis e assimilação de seus atributos, Hator permaneceu popular ao longo da história egípcia.

Por causa de sua popularidade, ela é associada a várias funções diferentes, podendo ser uma deusa do Sol, do céu, da Lua, do oeste e do leste, da fertilidade, da umidade, da agricultura e até mesmo uma deusa do submundo. No entanto, estritamente falando, Hator é a deusa da beleza, música, dança, alegria, maternidade e amor. Ela era considerada uma deusa protetora das mulheres, especialmente das grávidas, ligando-a à mãe do faraó.

Por ser patrona da beleza, sua oferenda votiva tradicional eram dois espelhos. No entanto, ela não era considerada vaidosa ou superficial: ao invés disso, ela era segura de sua própria beleza e bondade e amava coisas belas e boas.

No curso da história, Hator adquiriu vários títulos diferentes. Ela era conhecida como a "Senhora das Estrelas" por ser uma deusa do céu ligada à estrela Sirius. Na verdade, o aniversário dela era comemorado quando Sirius aparecia pela primeira vez no céu, o que indicava o início da cheia do Nilo. Ela também era conhecida como "Aquela que é dourada" por ser filha de Rá.

Ela era a "Senhora do Céu" por causa de sua associação com Nut, Mut e a Rainha do Egito. Era a "Enfermeira Celestial" porque se disfarçava de vaca ou como um figo de sicômoro para cuidar do faraó quando ele estava doente

Hator era a "Mãe das Mães" por causa de seu papel como deusa do parto, protetora das mães e dos filhos. Muitos acreditavam que sete Hators (os sete aspectos da deusa que eram representados como sete vacas) se aproximavam da cama do bebê para anunciar seu destino, já sabendo o futuro e a hora da morte de cada egípcio.

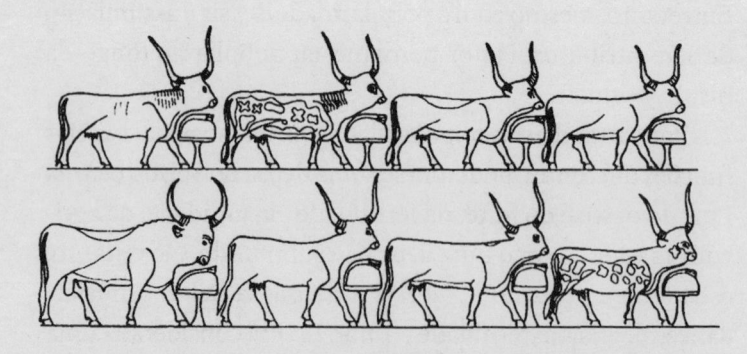

Reprodução de uma pintura na tumba de Nefertari que traz as sete Hators com o Touro do Céu.

Ela era a "Senhora da Vida" porque era a personificação da música, do álcool, da alegria, do amor, do romance, do perfume e da dança. Na verdade, ela era uma patrona da arte cosmética e uma deusa da beleza. Hator estava ligada à fragrância do incenso de mirra, um material muito precioso e considerado a incorporação de todos os traços femininos.

Ela também era a "Senhora de Turquesa", "Senhora de Lápis-Lazúli", e a "Senhora de Malaquita" porque era a padroeira dos mineiros e a deusa da Península do Sinai onde o ouro, o cobre, a turquesa e a malaquita são abundantes.

Ela também era conhecida como a "Senhora do Oeste" e a "Senhora do Sicômoro do Sul", porque ela ajudava a proteger os mortos em seu destino final no reino de Osíris.

Foi adorada por todo o Egito, mas seu centro de culto ficava, provavelmente, na cidade de Dendra. Lá, vários templos e estátuas foram construídos em sua honra e a maioria de seus seguidores e sacerdotes eram músicos, dançarinos e artistas. A maioria das orações eram dedicadas ao seu papel de protetora das mulheres e das crianças. Em Tebas, ela era reverenciada como a deusa dos mortos.

Ela também era conhecida como "Deusa do Limite" porque se acreditava que ela governava tudo no universo conhecido, incluindo lugares distantes como o Sinai e Reino de Punte (cuja localização nunca foi plenamente identificada). Os gregos também a consideravam muito por associá-la com sua deusa Afrodite. Ela também era considerada a deusa do terceiro mês do calendário conhecido como *Hwt-Hwr* ou, na sua forma helênica, *Hethara*.

Hatmehyt

Hatmehyt foi uma deusa-peixe adorada mais predominantemente na região do Delta, no lado nordeste de Mendes. Ela era originalmente uma deificação do Rio Nilo e, como deusa da água, representa vida e proteção.

Seu nome pode ser traduzido como "Aquela que está na frente dos peixes". Isso poderia sugerir que Hatmehyt era o mais importante dos (poucos) cultos de peixes que existiam, ou que ela era considerada a mais antiga divindade dos peixes. Às vezes, a deusa era retratada como um golfinho ou um peixe lepidoto, mas, outras vezes, como uma mulher com um emblema de peixe na cabeça.

Eventualmente, ela se tornou conhecida como a consorte do deus carneiro Banebdjedet (o aspecto do Djed de Osíris), que mais tarde usurpou seu papel como a principal divindade dos peixes de Mendes, o que a reduziu a ser conhecida como a forma feminina de seu marido.

Hedjedet
(Hededet)

Hedjedet era uma deusa escorpião do Egito Antigo que oferecia proteção contra picadas de animais peçonhentos. Por causa de sua habilidade contra cobras, acreditava-se que ela tivesse sido uma das divindades responsáveis por proteger seu pai, Rá, da temível serpente Apófis.

Ela era originalmente adorada em torno de Nekhen, segundo distrito do Alto Egito. No entanto, embora ela seja mencionada no Livro dos Mortos, foi amplamente absorvida por outra deusa escorpião local, Serqet, e pela sempre popular deusa Ísis.

Pequena estatueta de Ísis-Hedjedet, usada para fins mágicos.

Heka

> *Eu era um com Atom quando ele ainda flutuava sozinho em Nun, as águas do caos, antes que qualquer parte de sua força fosse usada para criar o cosmos. Eu sou Atom em sua forma mais inesgotável — a potência e o potencial de tudo o que há de ser. Esta é a minha proteção mágica e é mais velha e maior do que todos os deuses juntos!*[27]
>
> Livro dos Mortos

Heka é o deus da magia e da medicina no Antigo Egito. Significando, literalmente, "usando o ka", o termo "Heka" se referia tanto à divindade quanto ao conceito e à prática da magia. Para os antigos egípcios, Heka estivera presente na criação e fora o poder gerador ao qual os deuses recorreram para criar a vida. O universo foi criado e ganhou forma através da magia, que era responsável por sustentar os mundos visível e invisível.

Seu nome era representado por um pedaço de linho e um par de braços erguidos: o linho costumava ser colocado com os braços e pensava-se que se assemelhava a duas cobras. De acordo com o mito, Heka lutou e conquistou duas serpentes, e, desde então, duas serpentes entrelaçadas se tornaram um símbolo de seu poder.

---

[27] The Book of the Dead of the Chantress of Amon, Mutem-meres (Papyrus CtYBR inv. 2754 + Papyrus Louvre N. 3132). Disponível em: <https://www.jstor.org/stable/40000802>. Acesso em: 31 out. 2021.

Heka era também o patrono da magia e da medicina. Embora não tivesse nenhum culto formal, os médicos e outros curandeiros eram chamados de "sacerdotes de Heka" e frequentemente pediam sua ajuda. Ele era geralmente descrito como um homem carregando um cajado mágico e uma faca, as ferramentas de um curandeiro. Como explica Joshua J. Mark:

> *Nos dias de hoje, a maioria das pessoas não associa magia com medicina, mas para os antigos egípcios, as duas eram quase que apenas uma disciplina. O papiro Ebers (c. 1550 AEC), um dos textos médicos mais completos existentes, afirma que a medicina é eficaz com a magia, assim como a magia é eficaz com a medicina. Visto que se pensava que a doença tinha uma origem sobrenatural, uma defesa sobrenatural era o melhor caminho. As doenças eram causadas pela vontade dos deuses, por um demônio maligno ou por um espírito raivoso, e os feitiços contra esses demônios e espíritos (ou a invocação da ajuda dos deuses) eram curas comuns para doenças em toda a história do Egito.*[28]

Heka também aparece ocasionalmente como um homem com cabeça de falcão usando um disco solar, ou como um homem segurando duas serpentes entrelaçadas. Neste último caso, ele está conectado com o "caduceu" (um bastão alado com duas serpentes enroladas) que agora é um símbolo associado à medicina.

---

28 Mark, Joshua J.. "Heka." *World History Encyclopedia*. https://www.worldhistory.org/Heka/

Hemsut
(Hemuset)

As Hemsut eram as deusas do destino e da proteção no Egito Antigo. Elas estavam intimamente associadas ao conceito de *ka*, a força vital, e podiam ser vistas como a personificação feminina do *ka* masculino ou do potencial de criação das águas primitivas a partir das quais tudo foi criado.

As Hemsut eram geralmente descritas como mulheres carregando um escudo com duas setas cruzadas acima dele (o símbolo de Neith). Ocasionalmente, elas também eram representadas como mulheres ajoelhadas segurando uma criança nos braços. De acordo com a teologia de Mênfis, elas foram criadas por Ptá, mas em algumas regiões elas estavam intimamente ligados a Neith, que acreditavam tê-las tirado das águas de Nun.

Hequet
(Heket, Heqet, Heqat, Hekit, e Hegit)

Hequet é a deusa egípcia da vida, da criação, do parto e da fertilidade. Frequentemente, ela é retratada como uma mulher com a cabeça de rã ou simplesmente uma rã. Isso ocorre porque as rãs simbolizavam a vida e a fertilidade para os egípcios, porque a enchente anual do Nilo traz fertilidade às terras áridas e, consequentemente, atraía milhões de rãs.

Nos templos, ela aparece principalmente em sua forma antropomórfica humana, enquanto em amuletos, ela aparece em sua forma animal.

Como deusa da fertilidade, ela está associada aos estágios finais da enchente do rio Nilo, à germinação do milho e aos estágios finais do trabalho de parto da mulher. Com isso, ela ganhou o título de "Aquela que Acelera o Nascimento" durante o Império Médio.

Mulheres grávidas usavam amuletos representando Hequet para proteção, e durante rituais do Império Médio, facas de marfim e badalos com seu nome eram usados para afastar o mal durante o parto. Ela também poderia iniciar e oferecer proteção durante o trabalho de parto.

Hequet também estava envolvida na ressurreição dos falecidos: nos Textos das Pirâmides, ela auxilia o faraó em seu caminho para a vida eterna.

Hesat
(Hesahet ou Hesaret)

Hesat era uma deusa vaca do Antigo Egito, considerada a manifestação terrena de Hator. Hesat, cujo nome tem a mesma raiz da palavra para leite, "hesa", era retratada como uma divina vaca branca que carregava um disco solar ou uma bandeja de comida entre os chifres e tinha sempre leite fluindo de seus úberes.

Hesat era vista como a ama-de-leite dos outros deuses, patrona secundária das mulheres grávidas e das lactantes.

Ela também era considerada a mãe de Anúbis, o que significava que a criadora de todo alimento também teria dado à luz um deus dos mortos. Ela era a esposa de Rá, cuja manifestação terrena era o Touro Mnévis. A tríade de Mnévis, Hesat e Anúbis era adorada em Heliópolis.

Representação de Hator como uma vaca, a quem Hesat está intimamente relacionada.

Hórus

Descrito como um falcão ou como um homem com cabeça de falcão, Hórus era um deus do céu associado à guerra e à caça. Ele também era a personificação da realeza divina e, em algumas épocas, o faraó era considerado sua manifestação na Terra.

Foi, com certeza, um dos deuses mais conhecidos do Egito. Na verdade, quando falamos em "Hórus", não estamos nos referindo a apenas um deus em específico, mas, sim, a um conjunto de divindades-falcão que foram cultuadas durante a história da civilização egípcia. Essas divindades tinham características tão semelhantes que mal permitiam que se distinguisse uma da outra. Existem, entretanto, duas versões principais desse deus: *Hórus, o Velho*, era o deus dos reis e do céu e irmão de Osíris, Ísis, Set e Néftis e *Hórus, o Jovem* que, no Mito de Osíris, era filho de Ísis e Osíris, e lutou contra seu tio Set pela vingança e controle do Egito. Retratado com uma cabeça de falcão em um corpo humano, o deus era muito popular e cada faraó se considerava a representação viva dessa divindade na Terra.

O nome Hórus é a versão latina do nome egípcio Hor, que significa "o Distante", uma referência ao seu papel como deus do céu. Acredita-se que a adoração desse deus tenha sido introduzida no Egito durante o período pré-dinástico e que ele tenha continuado a ser cultuado por muito tempo.

Segundo os Textos das Pirâmides, os faraós são personificações de Hórus em vida e de Osíris na morte, onde se uniam aos outros deuses. Desta maneira, novas encarnações de Hórus sucediam ao falecido faraó na Terra na forma de novos faraós.

Apesar das inúmeras versões do deus, há características que são compartilhadas como: suas funções, seus locais de culto e sua descrição física. O deus falcão se tornou uma das imagens mais difundidas de Hórus na arte egípcia, chegando a se tornar um motivo onipresente usado na decoração de paredes de templos e estelas em todo o Egito. Nesse aspecto, ele tinha os epítetos de "Grande Deus", "Senhor do Céu", "Manchado de Plumagem". Ele também pode aparecer como um falcão ou às vezes até como um crocodilo com cabeça de falcão, frequentemente usando um disco solar. Ele também pode aparecer em sua forma totalmente antropomórfica, como um deus adulto ou, mais comumente, como uma criança. Neste caso, ele também aparece dominando crocodilos, serpentes e outros animais perigosos.

Em seu texto "Horus, the God of Kings", Jimmy Dunn comenta:

> *A forma de Hórus com a qual talvez estejamos mais familiarizados é o falcão completo, provavelmente o falcão-lanário (Falco biarmicus) ou o falcão-peregrino (Falco peregrinus). Esta é a forma aviária original de Hórus, normalmente mostrada em duas dimensões como um perfil, exceto pelas penas da*

cauda que foram viradas para o observador de acordo com os cânones da perspectiva composta egípcia. Os primeiros exemplos às vezes mostram o falcão inclinado para a frente em uma posição posterior, mas a postura ereta tornou-se padrão mais tarde. Às vezes, o falcão é mostrado em associação direta com o animal de Set ou um de seus símbolos, especialmente no período tardio, como no emblema do 16º nomo[29] do Alto Egito, no qual um falcão é representado com suas garras afundadas nas costas de um órix. [...][30]

O "Olho de Hórus" era um amuleto de proteção poderoso e quando foi quebrado em pedaços (em referência à época em que Set arrancou seu olho) as peças foram usadas para representar os seis sentidos (incluindo o pensamento) em uma série de frações.

Olho de Hórus esculpido em amuleto, Louvre.

---

29 Os nomos eram uma espécie de província do território egípcio administrada por um nomarca.

30 DUNN, J. *Horus, the God of Kings in Ancient Egypt*. Tour Egypt. Disponível em: <http://www.touregypt.net/featurestories/horus.htm>. Acesso em: 31 out. 2021.

Os quatro filhos de Hórus

Hórus era invocado em funerais para proteção e orientação daqueles que partiram e para os vivos que ficaram para trás. Acreditava-se que Hórus tivesse quatro filhos, que representavam, cada um, um ponto cardeal. Esses quatro filhos eram responsáveis por auxiliar o falecido na vida após a morte, protegendo os seus órgãos vitais. Cada um deles, por sua vez, recebia a proteção de uma deusa. Esses deuses são encontrados exclusivamente em contextos funerários.[31]

> **Duamutefe** — Era um deus chacal, responsável por proteger o estômago. Representava o leste e era protegido por Neith.
> **Hapy** — Era um deus babuíno, responsável por proteger os pulmões. Representava o norte e era protegido por Néftis.[32]
> **Imsety** — Era um deus em forma humana, responsável por proteger o fígado. Representava o sul e era protegido por Ísis.
> **Qebehsenuef** — Era um deus-falcão, responsável por proteger os intestinos. Representava o oeste e era protegido por Selket.

Os órgãos retirados eram mantidos em potes canópicos que às vezes tinham a cabeça do deus protetor como alça da tampa. Os quatro eram geralmente retratados como múmias; o corpo envolto em bandagens muitas vezes simbolizava ancestrais, incluindo deuses primitivos. O exemplo mais famoso de protetores canópicos é a arca da tumba de Tutancâmon, na qual Ísis, Neith, Néftis e Selket estão esculpidas.

Embora os quatro filhos de Hórus fossem frequentemente representados nos jarros ou associados ao lírio azul,

---

31 OSIRIS NET. *The Four Children of Horus*. Disponível em: <https://www.osirisnet.net/dieux/fils_horus/e_fils_horus.htm>. Acesso em: 31 out. 2021.

32 Não confundir com o deus Hapi, o deus da água e da cheia do Nilo. (N. E.)

Arca canópica encontrada na tumba de Tutancâmon.

também era possível encontrá-los com frequência desenhados ou esculpidos nos sarcófagos de madeira e pedra durante o Império Médio.

A fórmula 151 do Livro dos Mortos trata sobre algumas das funções específicas de cada filho:

Os quatro filhos de Hórus:

Palavras faladas por Qebehsenuef
Eu sou seu filho, Osíris, vim para ser sua proteção
Eu uni seus ossos para você, eu montei seus membros para você
Eu trouxe seu coração, e coloquei para você no lugar certo em seu corpo
Eu fortaleci sua casa para você, enquanto você vive, eternamente.

Palavras faladas por Hapy
Eu vim para ser sua proteção
Eu amarrei sua cabeça e seus membros para você
Eu golpeei seus inimigos abaixo de você por você, e lhe dei suas cabeças, eternamente.

Palavras faladas por Duamutefe
Eu sou seu filho, Osíris, eu sou seu filho Hórus, seu amado
Eu vim resgatar meu pai Osíris de seu agressor
Eu o coloco embaixo de suas pernas, eternamente.

Palavras faladas por Imsety
Eu sou seu filho, Osíris, vim para ser sua proteção
Eu fortaleci sua casa de forma duradoura

Como Ptá decretou de acordo com o que o próprio Rá decreta.[33]

Os quatro filhos não apenas protegiam Osíris, mas garantiam a segurança do deus-sol Rá enquanto ele viajava pelo céu noturno. Eles estão relacionados a algumas cobras perigosas e até ao próprio Apófis, que tenta impedir, noite após noite, a barca solar de completar seu curso.

A partir da décima primeira dinastia, os vasos canópicos passaram a cair em desuso, uma vez que a tendência parece ter passado a ser colocar as vísceras mumificadas novamente na múmia. Entretanto, por se tratar de uma tradição forte, os vasos não sumiram por completo: é possível encontrar alguns vasos vazios com uma múmia ou caixões de madeira em forma de santuário, sobre os quais estão pintadas as divindades. As representações dos quatro filhos de Hórus permaneceram até o período romano, podendo ser encontradas até mesmo no século IV EC.

Huh
(Hah, Hauh, Huah e Heh)

Huh é uma das divindades da Ogdóade de Hermópolis e a personificação do infinito. Os egípcios imaginavam o caos como algo sem fim, em contraste com o mundo criado, que era finito. Como as outras divindades da Ogdóade, Huh

---

[33] UNIVERSITY COLLEGE LONDON. *The Book of the Dead, chapter 151*. Disponível em: <https://www.ucl.ac.uk/museums-static/digitalegypt/literature/religious/hpres151.html>. Acesso em: 31 out. 2021.

também é retratado como um homem com cabeça de rã ou no próprio formato de uma rã. Já Hauhet, sua consorte, é retratada como uma mulher com cabeça de cobra ou inteiramente como cobra. Às vezes, ele também era representado como um homem agachado segurando uma haste de palmeira em cada mão com um anel *shen* na base de cada haste, o símbolo egípcio da longevidade. A imagem de Huh com os braços levantados era o hieróglifo para o número um milhão, que era considerado equivalente ao infinito na matemática egípcia. Por isso, ele também recebeu o título de "o deus de milhões de anos".

A imagem do deus e sua iconografia estão, portanto, associadas à ideia e ao desejo de viver um milhão de anos, numa infinita vida após a morte. A imagem de Huh é frequentemente encontrada em amuletos e objetos fúnebres, como em duas cártulas no túmulo do rei Tuntancâmon, nas quais é coroado com um escaravelho alado — simbolizando a existência — e um disco solar.

Iabet
(Iabtet, Iab, Abet, Abtet, Ab)

Iabet era a deusa do Deserto Oriental, da fertilidade e do renascimento. Acreditava-se que ela lavava o deus Rá e estava ligada ao nascer do sol no leste.

Iabet e Amentet aparecem juntas em tumbas privadas do Novo Reino, em caixões e sarcófagos, e nas cenas relacionadas ao curso do sol em papiros funerários; entretanto, ela raramente aparece nos túmulos da família real. Às vezes, Ísis substituía Amentet e Iabet era substituída por Néftis.

Como Iabet tinha sido encarregada de lavar Rá, estaria ligada a Kebechet, filha de Anúbis, que era uma divindade do frescor e da purificação dos mortos pela água. Nos templos por todo o Egito, alguns dos sacerdotes tinham um trabalho especial como parte do ritual diário: o de purificar a divindade do templo. Usando incenso para purificar o ar, a divindade era retirada de seu santuário, lavada, ungida com óleos, vestida com panos brancos, verdes, vermelhos e azuis e alimentada. A lavagem de Rá por Iabet pode estar relacionada a uma crença no ritual matinal de Rá, semelhante ao ritual sacerdotal de servir aos deuses.

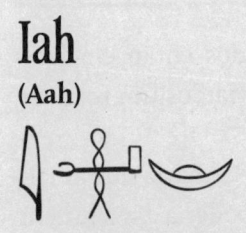

Iah
(Aah)

Iah era um antigo deus egípcio da Lua e do tempo, por vezes relacionado também à fertilidade. Como os antigos egípcios usavam Sol, a Lua, os planetas e as estrelas como referência para medir a passagem do tempo e mapeavam os céus celestiais para dar algum sentido a seu ambiente, não é difícil imaginar como qualquer alteração aparente nesses corpos eram acontecimentos importantes para eles.

A sociedade egípcia era articulada por um calendário solar, mas a esfera funerária seguia um "calendário" lunar. Apesar do fato de a Lua ter um papel secundário nos *corpora* funerários, ela tinha grande influência na organização do tempo ritual: numerosos festivais lunares são mencionados nos *corpora* funerários e em listas privadas de festivais e celebrações religiosas nas quais a nutrição do falecido é assegurada e sua vida eterna é comemorada. Nos Textos das Pirâmides, o rei falecido é relacionado a Iah através de laços de parentesco, e as referências ao corpo celeste estão conectadas a seu ciclo mensal.

A cheia do Nilo era um fenômeno tão importante que os egípcios baseavam suas vidas em torno dela. Os meses eram agrupados em três temporadas de quatro meses:

> *Akhet* era a época de inundação do Nilo (junho – setembro)
> *Peret* era a época de semeadura (outubro – janeiro)
> *Shemu* era a época da colheita (fevereiro – maio)

Os meses egípcios estavam organizados, então, em doze meses de 30 dias cada. Assim sendo, teríamos um total de 360 dias, ou seja: faltavam 5 dias.

Em um antigo mito egípcio, a deusa Nut havia sido amaldiçoada por Rá de forma que ela nunca poderia dar à luz em nenhum dia do ano. Thoth jogou um jogo de dados com Iah e ganhou luz lunar suficiente para fazer cinco dias extras. Thoth, então, os inseriu no mês de julho. Como esses 5 dias extras não foram incluídos na maldição de Rá, Nut pôde dar à luz seus cinco filhos: Osíris, Hórus, Ísis, Néftis e Set.

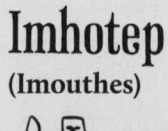

Imhotep
(Imouthes)

Imhotep foi um alto funcionário do século XXVII AEC, que mais tarde se tornou um modelo para os escribas e acabou deificado como um deus do conhecimento e da cura. Imhotep é mencionado como um dos sábios cuja memória vive por meio de seus escritos e é geralmente representado como um homem em trajes sacerdotais com um livro aberto no colo. Um mito conta que sua mãe, Kheredankhw (Kherduankh), descrita em um texto como uma bela cantora, concebera Imhotep pelo deus Ptá. O epíteto padrão para Imhotep tornou-se então "Filho de Ptá", embora normalmente apenas reis fossem chamados de "filhos" de deuses.

Provavelmente havia uma série de mitos sobre o nascimento de Imhotep que agora estão perdidos. Uma inscrição de Saqqara apresenta os principais eventos da história de Imhotep, como seu nascimento, o momento em que ele é apresentado como filho de seu pai, Ptá, e sua divina madrasta, Sekhmet; o momento em que derrota os asiáticos com a ajuda de Sekhmet; sua morte e mumificação.

Dois mil anos após sua morte, Imhotep foi divinizado como um deus da medicina e da cura, sendo equiparado a Thoth, o deus da arquitetura, matemática e da medicina, e patrono dos escribas. Desta forma, o culto de Imhotep foi fundido com o de seu próprio antigo deus tutelar.

Os gregos identificaram Imhotep com seu deus da medicina, Asclépio. A suposta tumba de Imhotep no deserto perto de Mênfis e um templo próximo, o Asklepieion, tornaram-se locais de peregrinação para doentes e casais sem filhos que buscavam intervenção dos deuses.

Segundo a crença, Hipócrates, o fundador da medicina grega, teria sido inspirado por livros mantidos no templo de Imhotep em Mênfis e sacerdotes de Imhotep eram consultados sobre o significado dos sonhos. Dizia-se que Imhotep aparecia aos sonhadores como uma figura humana brilhante ou como um escaravelho. Em uma história inscrita em uma estela ptolomaica, não está claro se é o próprio Imhotep ou um sacerdote dele quem interpreta o sonho do rei Djoser de sete vacas gordas e sete magras e descobre as origens do Nilo.

A popularidade de Imhotep não se desfez tão cedo: três mil anos depois de sua morte, ele ainda era cultuado como a personificação da sabedoria egípcia.

Imiut

Imiut era um antigo deus da mumificação. Seu nome significa "Aquele no que o envolve". Em geral, ele não era retratado na arte, mas era representado pelo fetiche[34] Imiut, um objeto usado durante o processo de mumificação.

Tratava-se da pele de um animal empalhada e sem cabeça, geralmente de um felino ou de um touro. Este fetiche era amarrado pela cauda a uma haste e inserido em um vaso, com uma flor de papiro ou de lótus presa a ela. Embora sua origem e propósito sejam desconhecidos, o item estava presente em ritos funerários egípcios antigos, pelo menos durante as primeiras dinastias.

Imiut nunca foi um deus particularmente famoso e foi bastante absorvido por Anúbis — que tomou seu nome como epíteto — e Osíris, que era frequentemente retratado com o fetiche de Imiut.

---

34 Objeto a que se atribui poder sobrenatural ou mágico e se presta culto.

Fetiche de Imiut.

Ísis

O culto de Ísis era um dos mais populares em todo o Egito e, dessa forma, ela se tornou uma deusa de atributos quase ilimitados. Ísis era seu nome grego, mas ela era conhecida pelos antigos egípcios como Aset (ou Ast, Iset, Uset), nome que é geralmente traduzido como "(Mulher) do trono" ou "Rainha do trono", apesar do significado exato de seu nome ainda ser motivo de debate.

Ísis costuma ser descrita como uma divindade altruísta, generosa, mãe, esposa e protetora, que coloca os interesses e o bem-estar dos outros à frente dos seus.

Com relação a sua iconografia, ela geralmente usa uma coroa representando um trono ou aparece como uma rainha humana usando uma coroa de abutre com uma serpente real na testa. Nessas duas formas, ela ocasionalmente carregava um botão de lótus ou o glifo da árvore de sicômoro. Muitas vezes ela era ilustrada na forma de uma rainha ou deusa usando a coroa dupla do Alto e do Baixo Egito com a pena de Ma'at.

O Livro dos Mortos a descreve como "Aquela que dá à luz o céu e a terra, conhece o órfão, conhece a viúva, busca justiça para os pobres e abrigo para os fracos", sugerindo que ela era considerada mais do que simplesmente uma mera mortal.

Junto a Bastet, Néftis e Hator, ou Néftis, Selket e Neith, Ísis era uma das quatro deusas protetoras, responsáveis por proteger o sarcófago e os vasos canópicos, onde se guardavam os órgãos dos faraós. Acreditava-se que ela ajudava o falecido em sua difícil jornada para a vida após a morte e às vezes era citada como um dos juízes durante o julgamento dos mortos. Suas sacerdotisas eram curandeiras e parteiras habilidosas, e alguns acreditavam até que elas tivessem poderes mágicos. Como as sacerdotisas de Hator, elas sabiam interpretar sonhos, mas também se acreditava que fossem capazes de controlar o clima trançando ou penteando seus cabelos.

Ísis era membro da enéade; filha de Geb (Terra) e Nut (Céu); e irmã-esposa de Osíris. Contudo, por causa de sua associação com o trono, Ísis às vezes era considerada a esposa de Hórus, o patrono dos faraós vivos. Os egípcios valorizavam muito a vida familiar e Ísis era o modelo das virtudes maternais. No Império Novo, Ísis era considerada a mãe arquetípica e uma deusa padroeira do parto e da maternidade.

A imagem de Ísis e do menino Hórus era extremamente popular na arte egípcia e é geralmente aceito que elas tiveram uma grande influência na iconografia de Maria e do menino Jesus Cristo nos primórdios da Igreja Cristã. No entanto, diferentemente de Maria, que era descrita como um ser passivo e inocente, Ísis não era apenas uma mãe, mas uma rainha confiante e habilidosa e uma feiticeira muito poderosa.

Estatueta de mármore retratando Ísis amamentando o infante Hórus, período Ptolomaico Tardio.

Pouco se sabe sobre os detalhes dos seus rituais de adoração. Tem-se o conhecimento de que seu culto prometia vida eterna a quem fosse admitido em seus segredos. As pessoas que a adoravam em todo o Egito podem ou não terem sido iniciadas em seu culto e, de qualquer forma, não deixaram nenhum registro de como a deusa era homenageada. Homens e mulheres serviam a Ísis como sacerdotes e seus rituais de adoração certamente eram conduzidos de forma semelhante aos que aconteciam com as outras divindades: um templo era construído para ser sua casa terrena e abrigar sua estátua, que, lá, era cuidada e adorada. O povo do Egito era encorajado a visitar o templo para deixar ofertas e fazer súplicas, mas ninguém, exceto o sumo sacerdote ou sacerdotisa, tinha permissão para entrar no santuário onde a estátua da deusa residia.

Com o tempo, ela se tornou tão popular que todos os deuses eram considerados meros aspectos de Ísis e ela era a única divindade egípcia adorada por todos no país. Ela tinha tantas áreas de influência diferentes que ganhou o título de "Senhora dos Dez Mil Nomes". Acreditava-se que a enchente anual do Nilo era resultado das lágrimas choradas por Ísis depois que Osíris foi morto por Set.

Kek
(Keku ou Kuk)

Kek era uma das oito divindades primordiais no mito da criação Ogdóade. Kek representava escuridão, a obscuridade e a noite que existiam antes da criação do mundo junto a seu aspecto feminino Kauket. Embora fosse um deus das trevas, também era associado ao amanhecer e recebia o epíteto de "portador da luz". Tal como acontece com os outros três elementos masculinos, Kek também era descrito como um sapo, ou como um homem com cabeça de sapo.

Khepri
(Kheper, Khepera, Chepri, Khephir)

Khepri era um dos mais famosos deuses insetos, associado ao escaravelho ou besouro de esterco, mas também ao amanhecer do deus Sol. Os egípcios observavam o escaravelho rolar o esterco em uma bola e empurrá-lo ao longo do solo até sua toca e estabeleceram, assim, uma conexão entre o movimento do sol no céu e o movimento da bola de esterco empurrada pelo besouro.

Seu nome deriva da palavra egípcia antiga "kheper" que significa "tornar-se" ou "ser transformado". Ele é geralmente representado como um besouro, um falcão com cabeça de besouro ou um homem-besouro sentado em um trono. A imagem do escaravelho empurrando uma grande bola de esterco foi transformada na de um besouro gigante empurrando o sol e outros corpos celestes no céu.

Já nos Textos das Pirâmides, Khepri está relacionado ao poder criativo do coração, principalmente à ideia de renascimento. O escaravelho fêmea colocava seus ovos na toca com o esterco e seus filhotes se alimentavam até que estivessem prontos para emergir. Os egípcios, no entanto, acreditavam que os escaravelhos emergiam espontaneamente das tocas como se tivessem sido criados do nada, ou seja, espontaneamente, assim como o deus Atom teria sido autogerado. O escaravelho também punha seus ovos na carniça, levando os antigos egípcios a especular que esses animais surgissem a partir de matéria morta. Como resultado, essa divindade foi fortemente associada ao renascimento, renovação e ressurreição.

Khepri era uma das quatro formas principais do deus do sol, Rá, a manifestação do amanhecer. Em uma das muitas versões do mito, o deus do sol diz a Ísis que ele é "Khepri na manhã, Rá ao meio-dia e Atom à noite." O Barco Noturno do sol estava associado a Atom e o Barco diurno a Khepri, o jovem sol do fim da madrugada, muitas vezes formava um par com Rá-Atom, o velho sol da tarde. Em Heliópolis, Atom-Khepri era adorado como um deus que diariamente passava por uma série de transformações: o cadáver de Khepri seria enterrado durante a noite, mas ele se levantaria novamente triunfante ao amanhecer.

Khepri tinha um papel central no Livro dos Mortos e amuletos de escaravelho eram colocados sobre o coração do falecido durante o ritual de mumificação. Esses "escaravelhos de coração" deveriam ser pesados contra a pena de Ma'at durante o julgamento final. Os escaravelhos costumavam ser inscritos com um feitiço do Livro dos Mortos que instruía seu coração a não testemunhar contra a pessoa.

Khepri também poderia ajudar na transformação final de múmia em *akh*, o espírito transfigurado, e, no Livro dos Mortos, é invocado para superar o medo intenso de putrefação: o falecido declara que seu cadáver não vai decair porque "Eu sou Khepri. As partes do meu corpo continuarão a existir.".

A vida humana, ou seja, a passagem da infância à idade adulta, ou da idade adulta à morte, era vista como uma série de *kheperu* (transformações). A promessa de uma vida permanentemente renovável após a morte fez a forma de escaravelho de Khepri talvez se tornar o mais popular dos símbolos egípcios e, por cerca de 2.500 anos, milhões de escaravelhos foram feitos como amuletos.

    Nenhum templo ou culto especificamente dedicado ao deus foi descoberto, mas acredita-se que possivelmente todos os templos tinham uma estátua de Khepri dentro deles. Um exemplo famoso fica no lago sagrado em Karnak, perto de uma capela subterrânea que representava o *Duat* (o submundo). Em um ritual secreto, a imagem de culto de Amon-Rá descia para esta capela e voltava transformada em Khepri, "que emerge da terra". Mulheres que habitavam na região tocavam a estátua quando queriam ter filhos e os turistas eram informados de que a estátua tinha o poder de fazer os desejos se tornarem realidade se você caminhasse três vezes ao redor dela.

Representação de Khepri e o disco solar.

Representação antropozoomórfica de Khepri.

Kherty

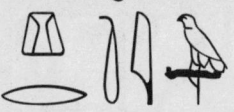

Kherty era um antigo deus egípcio da dicotomia hostilidade-proteção. Ele também era uma divindade do submundo que navegava no barco responsável por transportar os mortos em sua última viagem. Kherty foi descrito como um carneiro ou um homem com cabeça de carneiro, representando o "Ba".

Ao mesmo tempo em que estava associado a Aken, e pode ter sido visto como um aspecto desse deus em algum momento, era também uma divindade ambígua que guardava a tumba do faraó e o ameaçava em sua jornada para o submundo. Acreditava-se que às vezes o deus sol, Rá, teria que intervir para garantir a segurança do rei.

Kherty era adorado desde o início da segunda dinastia e seu nome aparece pela primeira vez em tigelas de pedra do rei Sneferka. Ele foi particularmente popular durante o Império Antigo, quando se pensava que ele compartilhava o governo do submundo com Osíris, sendo responsável por quem lá entrava e pelas câmaras que conduzem aos Salões de Ma'at, enquanto Osíris governava sobre as terras dos mortos abençoados que haviam passado nos testes e provado ser dignos.

Khnum

Khnum é o deus da nascente do Nilo e um dos responsáveis por controlar as enchentes anuais do rio. Visto que as enchentes traziam consigo lodo e argila, e sua água trazia vida aos arredores, ele passou a ser considerado também uma divindade criadora, que moldaria as pessoas e os animais em sua roda de oleiro, colocando vida e saúde em seus corpos.

Khnum era geralmente representado como um homem com cabeça de carneiro na roda de oleiro, com corpos infantis recém-criados por perto. Outras vezes, ele também era retratado segurando uma jarra da qual fluía um riacho, representando o Nilo.

Ele às vezes era pareado com a deusa sapo, Hequet, mas em seu templo principal da ilha de Elefantina em Aswan, Khnum formava uma tríade com as deusas Satet e Anuket.

Em uma estela encontrada em uma das pequenas ilhas rochosas da região do Nilo, há uma inscrição que finge ser um decreto do rei Djoser (2667 a 2648 AEC), mas na verdade foi composta cerca de 2.500 anos após seu reinado e conta como o Egito sofreu sete anos terríveis de fome, porque o Nilo não subiu o suficiente para inundar as terras agrícolas. Djoser teria, então, convocado o mais sábio dos sacerdotes que liam os livros sagrados e pediu que ele descobrisse a fonte da inundação. Após consultas, foi relatado que as águas vinham de cavernas gêmeas sob a ilha de Elefantina, mas que apenas o deus Khnum tinha o poder de destrancar as portas e liberar a inundação daquelas cavernas. Após consagrar um templo a Khnum, o "criador de todos os corpos" teria aparecido em sonho ao rei e prometido que a enchente ocorreria normalmente nos próximos anos a fim de que não houvesse mais fome.

Uma outra história ambientada no Império Antigo conta como Khnum fazia parte de um grupo de divindades que visitou o Egito disfarçadas para assistir ao nascimento de três crianças destinadas a serem reis e garantir que viessem ao mundo saudáveis. Curiosamente, alguns textos que descrevem a concepção e o nascimento de reis divinos mostram Khnum fabricando o corpo real e o *ka* da criança no mundo celestial, quase como um prelúdio necessário para o nascimento físico do rei. De acordo com alguns mitos, sua roda também girava para refazer o cosmos todas as manhãs.

O deus Khnum, representado com cabeça de carneiro, moldando Ihy, a Criança. Detalhe do Santuário Interno da "Casa de Nascimento" (o Mammisi) do Rei Nectanebo em Nitentóre (Dendera).

Khonsu

Khonsu era um deus da Lua e do tempo cujo nome significa "o viajante". No sul do Egito, dizia-se que era filho de Ámon e Mut e, no norte, de Ptá e Sekhmet. Seu centro de culto estava localizado em Tebas, onde ele fazia parte de uma tríade com Ámon e Mut. Era um dos companheiros de Thoth, que também estava associado à Lua e à medição do tempo.

Khonsu era reverenciado como um deus da cura e da proteção e também estava relacionado à fertilidade das pessoas e de seus rebanhos: era ele quem fazia as plantas crescerem, os frutos amadurecerem e os animais conceberem.

Frequentemente era representado como uma jovem-múmia. Em seu papel de filho de Ámon, ele geralmente usa a trança da juventude; a barba curvada dos deuses; um disco lunar completo em uma lua crescente na cabeça e carrega um cajado e um mangual em suas mãos (ligando-o ao faraó e a Osíris). Ele também usa um colar solto com um peitoral em forma de meia-lua e um contrapeso em forma de uma fechadura invertida. Khonsu também pode ser representado como um homem com cabeça de falcão, mas, ao contrário de Hórus ou Rá, seu cocar é encimado por um símbolo lunar, não solar. Como Thoth, ele era associado ao babuíno, mas raramente era representado dessa forma.

Todavia, a reputação de protetor não esteve sempre com Khonsu: as primeiras referências a ele o apontam como uma figura aterrorizante. Inicialmente, ele parece ter sido considerado um deus violento e perigoso, que estrangulava divindades menores e comia os corações dos mortos. Mais tarde, ele foi associado ao destino, julgamento e punição.

Acreditava-se que Khonsu, na forma de babuíno, fosse o guardião dos Livros do Fim do Ano, onde os deuses escreviam os nomes daqueles que iam morrer durante o ano. As pessoas apelavam, então, para um aspecto mais gentil do deus, "Khonsu, o Misericordioso", a fim de que ele alterasse os decretos do destino.

Durante a lua nova, ele era conhecido como o "touro poderoso" e durante a lua cheia, era associado a um "boi castrado". Acreditava-se que Khonsu não apenas governava o mês, mas também possuía poder absoluto sobre os espíritos malignos que infestavam a terra, o ar, o mar e o céu e se tornavam hostis ao homem atacando seu corpo sob a forma de dores e doenças. Já no Novo Império, ele era visto e adorado principalmente como o filho gentil e compassivo de Ámon e Mut.

Maahes
(Mahes, Mihos, Miysis, Mysis)

Maahes era um antigo deus-leão egípcio. Foi adorado como deus da guerra, guardião e senhor do horizonte. Acreditava-se que ele ajudava Rá a lutar contra Apófis na barca solar todas as noites e, na época dos gregos, ele era

Forma mais comum de representação de Khonsu.

considerado um deus das tempestades e dos ventos. Há indícios de que apareceu pela primeira vez no Império Novo, e acredita-se que tenha sido uma divindade de origem estrangeira.

Raramente era referido pelo nome. Em vez disso, usava-se seu epíteto mais comum — e horripilante — "O Senhor do Massacre". No entanto, ele não era visto como uma força do mal, mas punia aqueles que violavam as regras de Ma'at e assim promovia a ordem e a justiça. Da mesma forma, ele também era conhecido como o "Vingador dos Erros" e "Ajudante dos Sábios".

O deus era frequentemente descrito como um homem com cabeça de leão carregando uma faca e usando a coroa dupla do Alto e Baixo Egito, a coroa *atef* ou um disco solar e a serpente Ureu. Com menos frequência, ele era descrito como um leão devorando uma vítima. Os leões estavam intimamente ligados à realeza na mitologia egípcia, portanto Maahes era considerado o patrono do faraó. Como tal, ele era descrito como o filho de Bastet (que poderia assumir a forma de um leão ou gato e era uma patrona do Baixo Egito) ou como filho de Sekhmet (que geralmente era descrita como uma leoa e era uma patrona do Alto Egito). Seu pai podia ser Ptá ou Rá, quem estivesse com maior popularidade na época.

Apesar de seu aspecto agressivo, Maahes também era considerado uma divindade protetora, o guardião dos lugares sagrados e aquele que ataca os inimigos cativos. Ele protegia os mortos inocentes; era um dos algozes de Osíris e um defensor da barca solar contra o ataque do demônio-cobra Apófis e seus seguidores. Maahes também era um deus e um protetor do horizonte, pois entendia-se que os leões estavam conectados a ele. Ele também era a personificação do calor do verão.

Representação de Maahes (664–525 AEC) com uma cabeça de leão no Museu de História Natural em Viena.

Ma'at
(Maat)

Ma'at é a deusa que representa o conceito central da ética egípcia. Em outras palavras, o termo *Ma'at* podia ser entendido tanto como o conceito de verdade, justiça, retidão, ordem e equilíbrio ou como a deusa que representava esses valores.

Há menções a Ma'at desde os Textos das Pirâmides, mas durante a XVIII dinastia aparece como filha de Atom-Rá, fundida com a leoa solar Tefnut.

A deusa é representada na forma de uma mulher sentada ou em pé, segurando o cetro em uma das mãos e o *ankh* na outra. Um símbolo de Ma'at era a pena de avestruz e ela sempre é mostrada usando-a no cabelo. Em algumas das representações, ela tem um par de asas presas aos braços.

Ela é frequentemente representada por um pedestal, que era usado para simbolizar o trono no qual o Faraó se sentava — quem, por sua vez, tinha como tarefa garantir que a lei e a ordem fossem cumpridas. Para alguns estudiosos, essas representações deixam evidente que Ma'at foi a base sobre a qual o governo divino e a própria sociedade foram construídos.

Ma'at usando a pena da verdade em sua cabeça.

Mahaf

De acordo com os Textos das Pirâmides, Mahaf era o barqueiro que comandava o barco de Aken enquanto ele carregava o falecido para o submundo. Ele também era o arauto que anunciava a chegada do faraó ao deus do sol, Rá.

Já nos Textos dos Sarcófagos, seu papel parece ter mudado um pouco: ele continuou a tripular a balsa, mas também era o líder dos pescadores que tentavam enredar os mortos em suas redes (TS 474). No Livro dos Mortos, o falecido deve implorar a Mahaf que despertasse Aken para que ele trouxesse seu barco, Mahaf, então, questiona o falecido sobre suas intenções e dignidade.

Menhit
(Menhet, Menchit ou Menkhet)

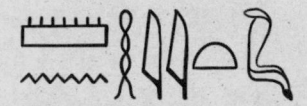

Menhit era uma deusa-leão da Núbia, geralmente retratada como uma mulher com cabeça de leão usando um disco solar e o ureu real. Seu nome significa "aquela que sacrifica", mas ela também era conhecida como "a matadora". Fortemente relacionada à guerra, ela era responsável por liderar as tropas do faraó para a batalha, mas também podia ser a personificação do vento do norte. Na mitologia egípcia, Menhit simbolizava ferocidade e força.

Não apenas era responsável por proteger o faraó em vida, mas também em sua morte: ela guardava certos corredores e portões no submundo para protegê-lo em sua jornada em direção à vida após a morte. Uma estrutura parecida com uma cama chamada *Leito de Menhit* foi encontrada na tumba do rei Tutancâmon e lembra muito a forma da deusa leão.

No Alto Egito, Menhit era venerada como a esposa de Khnum e mãe de Heka. No Baixo Egito, ela era adorada em associação com Wadjet e Neith. Ela também era relacionada a outra deusa leoa, Sekhmet.

Meretseger
(Mertseger, Merseger, Mereseger)

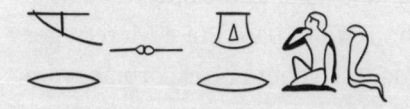

Meretseger era a deusa serpente responsável por guardar a necrópole em Tebas. Seu nome significa "Aquela que ama o silêncio".

Acreditava-se que ela vivia na montanha que domina o horizonte de Tebas e se eleva acima do Vale dos Reis e Rainhas, razão pela qual ela recebeu um outro epíteto: "Aquela que está na montanha".

Meretseger era geralmente descrita como uma cobra ou uma cobra com cabeça de mulher, embora às vezes ela tomasse a forma de uma cobra com três cabeças (a de uma mulher, a de uma cobra e a de um abutre).

Ela era uma divindade protetora, mas também era muito temida. Meretseger vigiava os mortos em suas tumbas, protegendo seus corpos e seus pertences dos possíveis ladrões. Ela também protegia a área de criminosos e violadores de juramentos, abatendo todos aqueles que tivessem más intenções com picadas de cobra ou com a cegueira.

Ainda que tivesse seu lado temível, a divindade também podia ser misericordiosa e curaria qualquer um que prometesse mudar seu comportamento. Além disso, uma vez que não havia cura para picadas e mordidas de animais peçonhentos, recorrer à magia e à intervenção divina era uma das poucas soluções ao problema. Meretseger rapidamente se tornou uma escolha popular de adoração para proteção contra esses perigos, e orações e ofertas eram feitas para que ela protegesse os indivíduos de picadas de cobra e picadas de escorpião.

Durante o Império Novo, ela foi muito adorada em Tebas e Deir el-Medina, uma vila de trabalhadores perto do Vale dos Reis, onde um pequeno templo para Ptá e Meretseger foi construído nas proximidades. A cobra e o escorpião eram duas das poucas criaturas que habitavam esta região desolada e, portanto, fazia sentido que a deusa fosse adorada ali. Os artistas e artesãos da vila faziam estelas votivas a ela, e, assim, se sentiam protegidos o suficiente para continuar trabalhando dentro das tumbas reais. Muitas das estelas menores representavam adoradores de Meretseger ajoelhados adorando à deusa em uma de suas muitas formas e agradecendo-lhe por sua ajuda.

Talvez uma das estelas mais bem preservadas seja a de Neferabu, feita durante a XIX dinastia. Nela, um homem conta que, após ter feito algo de errado, Meretseger lhe puniu deixando-o cego. Entretanto, após implorar pelo seu perdão, a deusa teve misericórdia dele e lhe restituiu a visão. Em agradecimento, Neferabu ergueu a estela em homenagem a ela. A exata natureza da transgressão não é mencionada no texto — embora provavelmente tenha sido furto —, pois o enfoque é exaltar as virtudes da deusa, algo muito característico da XIX e XX dinastias.

> *Louvando o Pico do Oeste,*
> *Beijando o chão para seu ka.*
> *Eu louvo, ouço (minha) chamada,*
> *Eu fui um homem verdadeiro na terra!*
> *Feito pelo servo no Lugar-da-Verdade, Neferabu, justificado.*
> *[...]*
> *(Eu era) um homem ignorante e tolo,*
> *Que não distinguiu o bem do mal.*
> *Eu cometi a transgressão contra o Pico[35],*
> *E ela me ensinou uma lição.*
> *Eu estava em suas mãos durante a noite como de dia,*
> *[...]*
> *Eu chamei minha Senhora,*
> *Ela veio até mim como uma doce brisa;*
>
> *Ela foi misericordiosa comigo,*
> *Tendo me feito ver seu poder,*
> *Ela voltou para mim apaziguada,*
> *Ela fez com que minha doença fosse esquecida;*
> *[...]*[36]

---

35 Meretseger era chamada de Grande Pico do Oeste, em decorrência de sua associação com a colina agora chamada de el Qurn, "O Chifre", localizada na Cisjordânia de Luxor, no Alto Egito.

36 LICHTHEIM, M. *Ancient Egyptian Literature*. Volume II: The New Kingdom. Los Angeles: University of California Press, 1976. p. 107-9.

Em uma outra estela do Museu Britânico, o Escriba da Necrópole Nekhtamun se dirige a Meretseger da seguinte forma:

> *"Louvada sejas em paz, ó Senhora do Oeste,*
> *A Senhora que se volta para a misericórdia!*
> *Tu me fizeste ver as trevas de dia.*
> *Vou declarar o teu poder a todas as pessoas.*
> *Sê misericordiosa comigo em tua misericórdia!"*[37]

Seu maior centro de adoração era em Tebas. As evidências arqueológicas mostram que, para os povos antigos que viviam na necrópole da região, a deusa local Meretseger era tão importante quanto algumas das principais divindades, e talvez até tão significativa quanto Osíris. Quando a necrópole real foi abandonada durante a Vigésima Primeira Dinastia, Meretseger perdeu sua popularidade e caiu em esquecimento.

Meskhenet
(Meskhent and Meshkent)

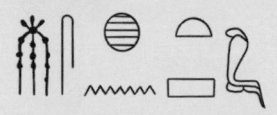

Meskhenet era uma deusa do nascimento, uma parteira divina e protetora da casa de parto. Ela também era uma deusa do destino, e aquela que respira o *ka* em uma criança quando ela chega ao mundo.

Ela era personificada como um dos tijolos sobre os quais as mulheres no Egito antigo se agachavam para dar à luz.

---

[37] THE COLLECTOR. *Meretseger: The Frightful Egyptian Cobra Goddess.* Disponível em: < https://www.thecollector.com/meretseger/>. Acesso em: 31 out. 2021.

Estela votiva para Meretseger por Amennakht, XX dinastia, Deir el-Medina, Museu Britânico.

Consequentemente na arte ela era, por vezes, representada como simplesmente um tijolo com cabeça de mulher ou, em algumas outras ocasiões, como uma mulher com o útero de uma vaca simbólica em sua coroa.

Representação de uma mulher egípcia parindo sobre o tipo de tijolo que foi relacionado a Meskhenet.

Além de garantir o parto seguro da criança, também se acreditava que Meskhenet tivesse certo poder sobre seu destino no momento do nascimento. Ela era, por exemplo, a força do destino que atribuía a um escriba a promoção entre os administradores do Egito.

Ela aparecia perto da balança no salão das Duas Verdades, onde o coração da pessoa morta era pesado para determinar se ela estava adequada a passar para o "paraíso" egípcio. Acreditava-se que Meskhenet falava sobre a personalidade do falecido, auxiliando no renascimento ou transformação da alma à medida que ele entrava no reino da vida após a morte.

É valido lembrar que a mortalidade infantil era muito alta no Egito Antigo, e o momento do parto trazia muita tensão aos pais. Por isso, era muito comum pedir o auxílio de diversos deuses para que tudo desse certo.

A deusa também podia ser chamada para repelir uma maldição. Um hino a Khnum do Templo de Esna menciona Meskhenet, chamando-a para proteger e repelir o mal.

> Eles [as muitas formas de Khnum] colocaram quatro Mesekhnet em seus lados,
>
> Para repelir os projetos do mal por meio de encantamentos.[38]

Meskhenet estava ligada a Shai, o deus do destino. Ela era considerada sua consorte, embora outras deusas também foram consideradas consortes de Shai algum tempo depois. Ela também estava associada a Andjety, um dos primeiros

---

38 RAMASAMI. J. *Two bricks symbol indicates the Egyptian Goddess Meskhenet*. Disponível em: < https://www.academia.edu/41108464/Two_bricks_symbol_indicates_the_Egyptian_Goddess_Meskhenet>. Acesso em 01 nov. 2021.

deuses e patrono da cidade de Andjet, e de Sobek, o deus da guerra e do poder com cabeça de crocodilo.

Meskhenet não estava particularmente associada a nenhuma região ou cidade, e não foi descoberto nenhum templo especificamente dedicado a ela, mas a deusa aparece em tijolos de nascimento que foram encontrados em todo o Egito e parece ter sido uma divindade popular e respeitada.

Representação de Meskhenet como um tijolo com cabeça humana.

Min
(Menew, Menu, Amsu)

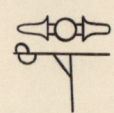

Min era um antigo deus egípcio cuja adoração remonta aos tempos pré-dinásticos. Suas primeiras imagens são os exemplos mais antigos de estátuas em grande escala encontradas no Egito até agora. As primeiras formas do deus — seu fetiche — eram as de uma flecha farpada ou um raio, mas, com o passar do tempo, ele passou a ter forma humana.

Alternativamente, Min representava no início a constelação de Órion e acreditava-se que ele controlasse os trovões e a chuva. Esta conexão com Órion também possivelmente relacionava Min a Hórus, porque os dois eram representados com os braços erguidos acima da cabeça.

Min era um deus da fertilidade e da sexualidade, representado em geral como um homem barbudo com o pênis ereto, em pé com as duas pernas juntas e um braço levantado. As pinturas egípcias e os relevos nas paredes dos túmulos e templos não mostravam o outro braço de Min, mas as estátuas do deus mostram-no com a mão circundando a base do pênis.

A pele de Min é negra, ligando-o à terra negra fértil da região do Nilo. Ele ocasionalmente usa uma fita vermelha que pode representar seu poder sexual. Quando ele assume a forma de Ámon-Min, às vezes, usa um disco solar entre as duas penas em sua coroa. Durante a época do Império Novo, ele era frequentemente mostrado como um touro branco, um animal sagrado para o deus da fertilidade.

Essa divindade estava associada à alface de folha longa egípcia, que era considerada um afrodisíaco, pois secretava uma substância leitosa que era comparada ao sêmen. Frequentemente, Min era mostrado em pé diante de mesas, coberto com folhas de alface. Ele estava intimamente associado à fertilidade e à agricultura e, portanto, a Osíris. No início da temporada de colheita, a estátua de Min era carregada pelos campos em um festival conhecido como "a partida de Min". Nele, o deus abençoava a colheita e as pessoas realizavam jogos em sua homenagem.

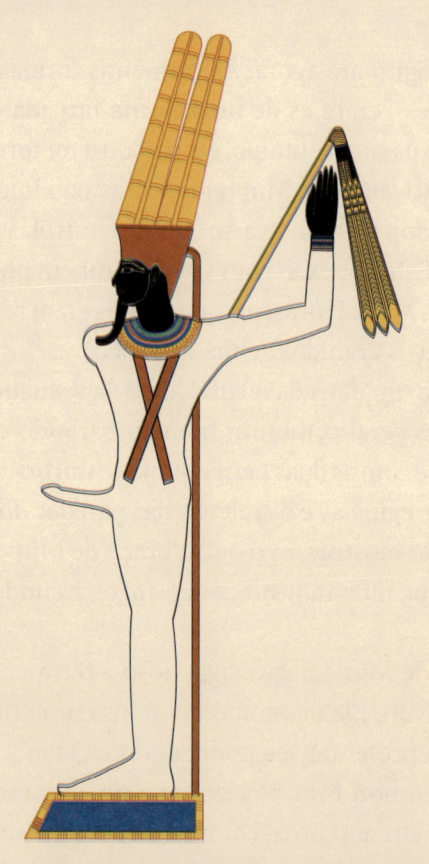

Representação do deus Min com o falo ereto.

No entanto, Min não era apenas um deus da fertilidade, mas também um patrono da sexualidade masculina que podia ajudar os homens a ter filhos. Quando o faraó queria ter um herdeiro homem, era a Min que ele deveria pedir.

Por causa de sua genitália bastante perceptível, as imagens desse deus foram muito atacadas e depredadas por imigrantes cristãos mais puritanos e, durante o período vitoriano, os egiptólogos regularmente omitiam a parte inferior de seu corpo em fotos e desenhos.

Montu
(Mentu, Monthu, Mentju, Montju, Menthu, Ment, Month, Mont ou Minuthi)

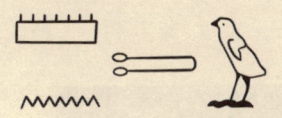

Montu era um deus-falcão solar e um deus da guerra. Ao que parece, Montu era originalmente uma forma local do deus Sol em Hermontis, capital de Tebas, mais especificamente uma forma de seu poder destrutivo.

Ele é mencionado na estela de Bentresh[39], quando comparam o faraó Ramsés II a ele:

> *[Ramsés II] cuja vitória foi predita quando saiu do útero,*
> *A quem a coragem foi dada enquanto estava no ovo,*
> *Touro com o coração firme enquanto pisa na arena,*
> *Rei piedoso avançando como Montu no dia da vitória.*[40]

Seu culto foi estabelecido na região de Hermontis durante a XI Dinastia e ele recebeu o epíteto de "Senhor de Tebas". Tebas era o local da corte real naquela época e, portanto, Montu tornou-se um poderoso deus estatal associado ao faraó. Três reis assumiram o trono com o nome de "Montuhotep" ("Montu está satisfeito"), mas o mais notável foi Montuhotep I, que reuniu o Alto e o Baixo Egito após a turbulência do

---

[39] A Estela de Bentresh é uma estela do Período Tardio/reino Ptolemaico que contém um texto hieroglífico contando a história de Bentresh, filha do príncipe de Bakhtan, que adoeceu e foi curada pelo deus egípcio Khonsu.

[40] LICHTHEIM, M. *Literatura egípcia antiga. Volume III: Late Period.* Los Angeles: University of California Press, 1980. p. 91.

Primeiro Período Intermediário. No entanto, durante a XII Dinastia, sua posição como deus do estado foi assumida por Ámon, e Montu passou a ser visto mais como um deus da guerra do que um aspecto do Sol.

Uma representação peculiar do deus Khonsu como Montu no Templo de Khonsu em Karnak.

Montu também era considerado um guardião da vida familiar harmônica. Ele era mencionado frequentemente nos documentos de casamento para garantir que cada uma das partes honrasse seu compromisso, e a infidelidade era descrita como "a abominação de Montu".

Esta divindade costumava ser representada como um homem com cabeça de falcão, usando uma coroa de duas longas plumas, um disco solar e o ureu duplo, como o de Ámon. Por causa de suas ligações com os cultos de touros, ele também era representado com a cabeça do animal, mas ainda assim usando a coroa.

O falcão era um símbolo do céu e o touro era um símbolo da força e da guerra. Ele também podia estar em posse de várias armas, como uma espada curva, uma lança, arco e flechas ou facas.

Como é de se imaginar, por ser uma divindade solar, Montu estava associado a Rá e frequentemente aparece como o deus composto Montu-Rá. Ele também se fundiu com Atom e era até mesmo associado a Set, talvez por seu aspecto marcial. Os gregos o associavam a Ares, o deus da guerra.

Mut
(Maut, Mout)

Mut era uma deusa do céu, mas, mais do que isso, era também uma mãe dos deuses e rainha das deusas. Originalmente, tratava-se de uma deusa local, provavelmente da área do Delta, mas que durante o Novo Império ganhou popularidade e passou a ser adorada em um dos festivais mais populares da época: o Festival de Mut.

Ela era retratada às vezes como uma mulher com asas ou como um abutre, geralmente usando as coroas da realeza, frequentemente a coroa dupla do Egito ou a coroa de abutre das rainhas do Império Novo. Mais tarde, ao assumir os atributos das outras deusas egípcias, ela passou a ser retratada como uma mulher com cabeça de leoa, como uma vaca ou como uma cobra. O antigo vínculo egípcio entre abutres e a maternidade fez com que seu nome fosse a antiga palavra egípcia para "mãe" — *mwt*.

No sul da África, o nome do urubu egípcio é sinônimo do termo aplicado aos namorados, pois essas aves são sempre vistas aos pares. Assim, emparelhar, criar laços, proteger e amar são atributos essenciais associados a um abutre, como aos de uma mãe com um filho. Os abutres também são imensos de tamanho e conseguem voar muito alto, o que podia ser interpretado como um estar mais perto dos deuses. Todas essas qualidades inspiraram a imaginação dos antigos egípcios, que adotaram o que lhes parecia na época qualidades maternais.

Como a grande deusa-mãe do Império Novo, Mut substituiu e assimilou muitas das deusas egípcias, tornando-se uma completa deusa da capital; e sua popularidade se espalhou cada vez mais. Embora inicialmente se tratasse de uma deusa local do Delta, ela foi casada com Ámon e substituiu sua esposa original. Desta forma, passou a representar a mãe do faraó e estabeleceu firmemente seu lugar com os governantes de Tebas, que a transformaram em mãe da nação.

Em especial, Mut absorveu os aspectos das deusas Wadjet e Nekhbet, que juntas eram chamadas de "As duas Senhoras" e simbolizavam a unificação do Egito (Wadjet era originalmente a deusa da coroa vermelha do Baixo Egito, o Norte, e Nekhbet era a deusa-abutre da coroa branca do Alto Egito, o Sul). A partir daí, ela se tornou uma das grandes deusas e foi adorada por toda a terra desde o Império Novo até a época romana. Homens e mulheres, seus seguidores acreditavam que ela era aquela que criou e deu à luz a todos.

Ela também estava associada a várias outras deusas, como Ísis e Nut, e era adorada como um membro de várias divindades compostas. Por exemplo, junto a Ísis e Nekhbet ela formava a divindade chamada "Mut-Ísis-Nekhbet, a Grande Mãe e Senhora": uma deusa alada com pés leoninos, um pênis e três cabeças (a cabeça de uma leoa usando a coroa de plumas duplas de Min, a cabeça de uma mulher usando a coroa dupla do Egito e a cabeça de um abutre usando a coroa vermelha do Baixo Egito).

O Festival de Mut era um dos feriados mais populares em Tebas durante o Império Novo. Uma estátua da deusa era colocada em uma barca e navegava ao redor de Isheru, a pequena lua crescente em forma de lago sagrado em seu templo em Karnak. Havia também uma celebração durante o festival de Ano Novo, quando a estátua de Ámon viajava de seu templo em Luxor até Karnak para visitá-la.

O recinto do templo de Mut em Karnak permaneceu um importante centro religioso por quase 2.000 anos e é o maior lago sagrado (*Isheru*) preservado no Egito hoje.

A dinastia grega ptolomaica manteve o templo, acrescentando suas próprias decorações, mas, após a conquista pelo Império Romano por volta de 30 AEC, o imperador Tibério reconstruiu o local após uma inundação. Embora alguns de seus sucessores mantivessem sua manutenção, o templo foi caindo em desuso.

Naunet

Naunet representava o céu sobre o oceano primitivo como a contraparte feminina de Nun, as águas primitivas do caos, na teologia Ogdóade.

Raramente era descrita como uma divindade personificada e raramente era mencionada sem seu parceiro Nun. Na Pedra de Shabaka, uma relíquia da XV dinastia no Egito, ela é descrita como a mãe do deus sol Atom-Rá, sendo Nun o pai e Ptá o deus da cidade.

> Os deuses que surgiram em Ptá:
> Ptá-no-grande-trono [...].
> Ptá-Nun, o pai que [fez] Atom.
> Ptá-Naunet, a mãe que deu à luz Atom.
> Ptá-o-Grande é o coração e a língua dos Nove [Deuses].

Em Khmunu (Cidade dos Oito), acreditava-se que o mundo fosse cercado por montanhas que ajudavam a sustentar o céu, mas a seus pés estava Naunet. Eles imaginaram que o deus sol Rá aparecesse dessas montanhas, renascendo diariamente do abismo aquático.

Nefertum
(Nefertem, Nefer-temu)

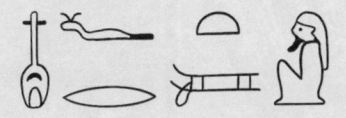

Nefertum era o deus egípcio da cura, do sol da manhã, da beleza e dos perfumes. Ele estava particularmente relacionado à flor de lótus, de onde, de acordo com o mito, teria emergido durante a criação.

Seu nome pode ser traduzido como "jovem/belo Atom" e, de acordo com a versão da história da criação da Enéade em Heliópolis, Nefertum nasceu de um botão de lótus azul que emergiu das águas de Nun no início da criação. Nefertum representava, então, o sol em sua juventude, ou seja, o nascer do sol.

Segundo o mito, ele chorou porque estava sozinho e suas lágrimas criaram a humanidade. Acreditava-se que sua vida fosse um ciclo de nascimentos pelas manhãs e mortes todas as noites: ele nascia a cada aurora e amadurecia com o passar do dia na forma do deus Atom antes de passar para o mundo dos mortos a cada pôr do sol. Esse ciclo de nascimento e morte conforme o sol viajava pelo submundo representava a luta diária entre o Caos e a Ordem, a dicotomia de Ma'at.

Posteriormente, quando Atom foi absorvido por Rá, tornando-se o deus composto Atom-Rá, Nefertum passou a ser considerado uma divindade separada, mas ainda associada ao sol que acabara de nascer.

Ptá foi promovido ao deus nacional principal e proclamado o criador final. A maternidade de Nefertum possui diversas

Representação do deus Nefertum usando uma coroa de lótus

versões. Sekhmet e Bastet, ambas filhas de Rá, reivindicam a maternidade de Nefertum, que poderia ser filho tanto da união de Sekhmet com Ptá quanto de Bastet com Ptá. Na região do Delta, há uma versão em que Nefertum é filho de Wadjet, a deusa serpente que recebe um aspecto leonino. Ele também se tornou o patrono das artes cosméticas e da cura derivada das flores e, assim, Nefertum passou a ser visto tanto como um aspecto do deus Sol quanto como seu neto.

Os antigos egípcios acreditavam que o perfume do lótus tinha uma origem divina e era usado nos templos em rituais e cerimônias relacionados à adoração de deuses e deusas. Acreditavam que o perfume tivesse propriedades restauradoras e protetoras e várias divindades eram representadas na arte egípcia segurando a flor de lótus. Nefertum, portanto, estava relacionado à cura e à proteção da realeza e a ele foi dado o título de "Protetor das Duas Terras", simbolizando o Alto e o Baixo Egito.

Nas numerosas versões do Livro dos Mortos, a flor de lótus também aparecia nas representações de falecidos após sua entrada no mundo subterrâneo. Em muitas pinturas de tumbas, a pessoa morta é mostrada cheirando a flor para ajudar a restaurar os sentidos. O óleo de lótus também era usado durante o longo processo de preparação do corpo para a mumificação "para unir os membros, juntar os ossos e montar a carne", reduzindo o cheiro de carne em decomposição.

O deus estava mais especificamente associado ao lótus azul, uma flor com propriedades narcóticas. De acordo com um mito, Nefertum trouxe um buquê de lindos lótus para aliviar o sofrimento de Rá, que já estava idoso. Como resultado, ele é descrito nos Textos das Pirâmides como "a flor de lótus que está diante do nariz de Rá".

O mito de Nefertum e sua conexão aos cosméticos provavelmente não se desenvolveu apenas por crenças religiosas, mas também por razões políticas e financeiras. O Egito Antigo era o centro mundial de fabricação e comercialização de perfumes, mestre na criação e desenvolvimento de óleos aromáticos. Ter um deus que simbolizasse a cura, mas também a beleza e os perfumes, como Nefertum, significava se aliar ao mercado extremamente lucrativo de perfumes. Além destes, cosméticos, unguentos, remédios e loções continham óleo extraído de flores de lótus e diversos óleos perfumados para uso ritual e médico eram feitos nos templos pelos sacerdotes de Nefertum.

De certa forma, a influência de Nefertum ainda está presente no mundo moderno, não exatamente nas grandes indústrias de perfumes, mas na aromaterapia, o renascimento moderno das antigas artes fragrantes, na qual se tenta reestabelecer um equilíbrio espiritual, emocional e físico por meio de extratos perfumados de plantas, conhecidos como óleos essenciais.

Nefertum era geralmente descrito como um belo jovem usando uma coroa de lótus, às vezes em pé nas costas de um leão. Como o sol recém-nascido, ele era geralmente representado como um lindo bebê sentado dentro ou sobre um botão de lótus. Os egípcios geralmente carregavam pequenas estatuetas dele como amuletos de boa-sorte ou amuletos de proteção.

Nehmetawy
(Nehmetawi, Nechmetawaj)

Nehmetawy é uma deusa pouco popular. A primeira referência dela até agora data do Império Novo, mas a maioria que temos são posteriores, do período de domínio greco-romano. Seu nome provavelmente significa "aquela que abraça os necessitados". Ela era adorada em Hermópolis como a esposa de Thoth, mas também é mencionada ocasionalmente como esposa de Neheb-Kau.

Era normalmente representada como uma mulher amamentando uma criança. Em geral, ela estava usando uma coroa na forma de um sistro, o que sugere uma associação à deusa Hator. Alguns estudiosos propõem que Nehmetawy seja simplesmente uma forma menos popular de Hator, já que elas costumam compartilhar os mesmos epítetos. Além disso, no templo de Ámon em Karnak, Hator e Thoth aparecem juntos, e Hator também recebe o nome de "Nehmetawy". Uma outra teoria é que Nehmetaway fosse uma forma de Seshat, a deusa da sabedoria, que, por conseguinte, também era considerada um aspecto de Hator.

Neith
(Nit, Net, Neit)

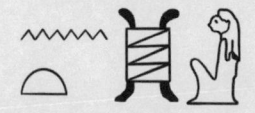

Protetora do faraó, de Osíris e dos mortos, ela guardava o caixão e um dos jarros canópicos com os órgãos do falecido e fazia as ataduras de linho para proteger o corpo dos mortos da decomposição. Deusa da caça e da guerra, Neith também usava suas flechas para adormecer os espíritos malignos. Eventualmente ela se tornou a grande criadora, que não era nem homem nem mulher, mas uma combinação de ambos.

Neith era uma antiga deusa da guerra e da tecelagem. Ela era padroeira da Coroa Vermelha do Baixo Egito e da cidade de Zau no Delta; e uma deusa relacionada à criação e à maternidade. Ela era também uma deusa funerária que cuidava e ajudava a vestir as almas dos mortos.

Neith era uma divindade poderosa e era comum que os outros deuses a consultassem quando não conseguiam resolver alguma disputa entre si. Por exemplo, de acordo com o mito, foi Neith quem decidiu que Hórus seria o rei do Alto e Baixo Egito, em vez de Set. Em compensação, ela deu terras a Set e abençoou seu casamento com duas deusas estrangeiras, Anat e Astarte.

Suas relações familiares eram tipicamente fluidas e seus laços de parentesco foram "feitos e desfeitos" muitas vezes, como era comum de acontecer na antiga religião egípcia. De acordo com a cosmologia Iunyt (de Esna), Neith era a grande criadora, mãe do sol, Rá, o que a tornava a mãe de todos os deuses e a conectava com Nun, o caos primordial.

No entanto, também se atribuía a ela a criação de Apófis, a grande serpente e inimiga jurada de Rá. Durante o Império Antigo, Neith era considerada a esposa de Set, o que tornava improvável que ela fosse chamada para governar contra ele e conceder-lhe esposas extras. No entanto, sua associação com Set foi abandonada quando ele foi reinterpretado como uma força do mal.

Neith geralmente era retratada como uma mulher usando a Coroa Vermelha do Baixo Egito, mas em algumas ocasiões aparecia na forma de uma vaca. Seu nome a liga à coroa do Baixo Egito, que era conhecida como "nt", mas também está relacionado à palavra tecer ("ntt") e a uma das palavras usadas para água ("nt").

Neith era associada a dois emblemas diferentes: um escudo cruzado com duas flechas e uma lançadeira trançada. Ao que parece, as setas cruzadas foram seu símbolo durante o período pré-dinástico, quando ela era considerada uma deusa da caça e da guerra conhecida pelo epíteto "Senhora do Arco, Governante das Flechas".

Deusa da guerra e da tecelagem, ela era identificada com a deusa grega Atena. Heródoto relata que seu clero era feminino e seu templo em Sais era um dos mais impressionantes de todo o Egito. Uma estátua era cuidada no santuário interno pela alta sacerdotisa, a única que podia entrar lá, enquanto as outras câmaras eram cuidadas por sacerdotisas menores. Quem fosse ao templo só teria permissão para visitar os pátios externos, onde poderiam oferecer seus sacrifícios à deusa com pedidos por sua ajuda ou em agradecimento pela ajuda recebida. Ele conta também que havia um grande festival anual em homenagem a Ísis-Neith, comemorado no 13º dia do 3º mês de verão, quando as pessoas iluminavam suas casas com lâmpadas e tochas embebidas em óleo misturado com sal.

Essas chamas permaneciam acesas até de manhã, enquanto o povo festejava.

Acreditava-se que, no festival de Neith, o véu entre o reino dos vivos e dos mortos se abria e as pessoas podiam ver e falar com seus amigos e familiares que haviam partido. As luzes refletindo as estrelas ajudariam a abrir este véu porque a terra e os céus teriam o mesmo aspecto para os vivos e para os mortos. O festival fazia referência ao mito de Osíris, pois Neith abria o caminho para os mortos se comunicarem com os vivos da mesma forma que ela ajudou Ísis e Néftis a trazer Osíris de volta à vida.

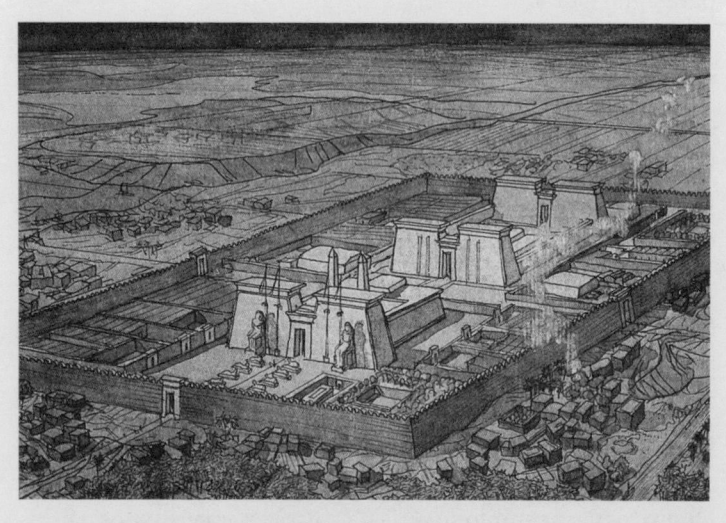

Representação artística do templo de Neith em Sais. THINK AFRICA. *Temple of Sais: African medical school 3000 – 525 BCE.* Disponível em: <https://thinkafrica.net/sais-story-of-pesehet/>. Acesso em: 15 nov. 2021.

Nekhbet

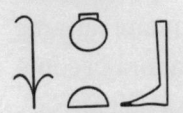

Nekhbet era uma deusa abutre-branco egípcia e protetora do Egito e dos faraós. Ela era também uma patrona da natureza e do parto, descrita como a cuidadora do futuro rei durante sua infância e uma das "Duas Senhoras".

Foi a deusa padroeira local da cidade de onde seu nome deriva (atual El Kab), mas, com a ascensão dos faraós, acabou se tornando a grande deusa de todo o Alto Egito, enquanto a outra "Senhora", Wadjet, tornou-se a deusa do Baixo Egito. Essas duas deusas estavam intimamente ligadas devido à frequente ideia egípcia de dualidade.

As referências nos Textos das Pirâmides apontam que Nekhbet também era considerada uma deusa criadora com o epíteto "Pai dos Pais, Mãe das Mães, aquela que existiu desde o início, e é a Criadora deste Mundo". Ela era representada na coroa do rei Nemes como um abutre ou uma cobra.

Nekhbet era conhecida como "pr wr" (Senhora da Grande Casa — o templo do "Estado" do Alto Egito). Ao que parece, a partir da XVIII dinastia as duas senhoras passaram a estar intimamente associadas à proteção das mulheres da família real, o que nos é sugerido pelo aparecimento de duas *uraei* (serpentes reais) em suas coroas quando eram representadas.

Ela frequentemente aparece em cenas de guerra e ofertório, em forma de um abutre pairando sobre a cabeça do faraó, segurando o símbolo *shen* e o mangual real. Em outras ocasiões, especialmente nos períodos tardios, ela é retratada amamentando o faraó, como uma mãe divina que o protegia desde seu nascimento até sua morte.

Nekhbet nunca foi uma deusa popular do povo devido à sua estreita associação com o governo e porque sua proteção estava estritamente limitada ao faraó. Foi somente durante o Império Novo que as pessoas começaram a adorá-la como protetora de mães e filhos, além de ser a deusa do parto.

A figura do abutre estava conectada com a maternidade e proteção na imaginação dos egípcios. No sul da África, o nome da ave é sinônimo do termo aplicado aos apaixonados, pois abutres são sempre vistos aos pares, assim como mãe e filho permanecem intimamente ligados. Eles também não medem esforços para defender seus filhotes, ou seja, criar laços, proteger e nutrir eram atributos essenciais associados a um abutre. A partir desse conhecimento, torna-se fácil entender a associação da deusa com a ave.

Nekhbet passou de uma deusa local de uma cidade pré-dinástica a protetora pessoal do faraó e um dos símbolos do Egito; e, depois, de ama de leite do faraó transformou-se em guardiã e na própria deusa protetora de mães e filhos por todo o país. Seu percurso na história egípcia foi uma montanha-russa. Ela era mais do que apenas uma deusa — ela era metade da própria terra do Egito. Um templo foi construído em sua homenagem em Nekhb, que incluía uma casa de nascimento, uma série de pequenos templos, um lago sagrado e alguns cemitérios antigos.

Néftis

Néftis (ou Nephtys) era uma deusa associada à morte e ao ar. Ela era filha do deus do céu Nut e do deus da terra Geb, irmã de Osíris, Ísis e Hórus, bem como irmã e esposa de Set. Quando a Enéade e a Ogdóade se fundiram, Néftis recebeu um lugar no barco de Rá para que ela pudesse acompanhá-lo em sua jornada pelo submundo.

Néftis é, na verdade, a pronúncia grega de seu nome. Para os antigos egípcios, ela era Nebthwt (Nebhhwt ou Nebthet), que significa "a Senhora da Casa".

Ela era retratada como uma mulher com uma cesta e uma casa em cima da outra na cabeça, embora às vezes também recebesse asas ou a forma de um pássaro, o que a relacionava a uma divindade solar ou dos mortos. No período posterior, ela inclusive se tornou a mãe de Anúbis, o próprio deus dos mortos. Ela era comumente associada ao abutre. Como comenta a egiptóloga Jenny Hill:

> *Por ser uma deusa do ar, ela podia assumir a forma de um pássaro e, por ser estéril, era associada ao abutre — um pássaro que os egípcios acreditavam não ter filhos. Os egípcios pensavam que todos os abutres eram fêmeas (porque há muito pouca diferença na aparência de um abutre macho), e que eles eram criados espontaneamente do ar. Embora o cuidado demonstrado por uma mãe abutre com seu filho fosse altamente respeitado, os egípcios também reconheciam que os abutres se alimentavam de carniça e os associavam à morte e à decomposição. Como resultado, Néftis se tornou uma deusa da morte e do luto.*[41]

Acreditava-se que sua irmã Ísis era a responsável por fazer os partos das mulheres grávidas enquanto Néftis ficava ao lado do leito para oferecer conforto e ajuda no nascimento

---

41 HILL, J. *Nephthys*. Disponível em: <https://ancientegyptonline.co.uk/nephthys/>. Disponível em: 3 nov. 2021.

das crianças. As duas irmãs costumavam ficar juntas, e muitas vezes só podiam ser distinguidas pelo hieróglifo em suas cabeças. Assim como sua irmã, também se acreditava que Néftis tivesse grandes poderes mágicos. No entanto, originalmente, onde Ísis era nascimento e crescimento, Néftis era morte e decadência. Ela era a escuridão para a luz de Ísis: Ísis era o dia, sua irmã gêmea, a noite. Assim, ela estava intimamente associada à vida e à morte.

Néftis pode ter sido a contraparte mais sombria de Ísis, entretanto é importante lembrar que no pensamento egípcio isso não a tornava uma figura má ou mórbida. Na religião egípcia antiga, a morte era considerada o fim de uma vida e o início de outra e não tinha, obrigatoriamente, uma conotação negativa. Néftis, que conhecia os feitiços e rituais necessários para passar com segurança para a vida após a morte, não era entendida como uma deusa destrutiva, *mas aquela que protegia as almas em seu nascimento no outro mundo.*

Todos os anos, Néftis e Ísis eram personificadas por duas sacerdotisas em um ritual em homenagem a elas. Para isso, as jovens escolhidas deviam ser virgens e puras, seus cabelos e pelos deviam ser raspados, deveriam usar guirlandas de lã de carneiro na cabeça e segurar pandeiros nas mãos; no braço de uma delas deveria haver um filete com a inscrição "Para Ísis", e no braço da outra deveria haver um filete com a inscrição "Para Néftis".

Em cinco dias durante o mês de dezembro, essas mulheres ocupavam seus lugares no templo de Abidos e, auxiliadas pelo Kher Heb, cantavam uma série versos às deusas.

Nun
(Nenu, Nunu, Nun)

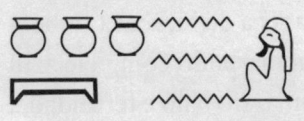

Nun é a personificação das águas primitivas e do caos original. Ele existia em cada partícula de água e formava a nascente do rio Nilo, sendo também o responsável por causar a inundação anual do rio, tão importante para a civilização egípcia antiga.

Os egípcios acreditavam que antes do mundo ser formado, havia apenas uma massa aquosa de caos escuro e sem direção. Neste caos vivia o Ogdóade de Khmunu (Hermópolis), quatro deuses sapos e suas consortes, quatro deusas serpentes. Essas divindades eram Nun e Naunet, Ámon e Amonet, Huh e Hauhet e Kek e Kauket.

A água era representada por Nun e sua forma feminina, Naunet. Embora os egípcios tivessem muitos mitos diferentes para explicar como a criação teria ocorrido, eles concordavam que o universo tivesse vindo das águas primordiais de Nun, e muitas lendas sugeriam que tudo voltaria para essas águas no fim dos tempos.

Nun é, consecutivamente, associado às forças do caos. Quando Rá decidiu que as pessoas não estavam dando a ele o respeito devido, foi Nun quem sugeriu que Rá deveria enviar seu "olho" para destruir a humanidade e acabar com o mundo. No entanto, ao contrário da serpente d'água Apófis, que era inimiga de Rá e uma força puramente destrutiva, Nun tinha um aspecto positivo: ele protegeu Shu e Tefnut das forças do caos, representadas por cobras demoníacas. De acordo com um mito, foi Nun quem disse a Nut para se transformar em uma vaca solar e carregar Rá pelo céu, porque ele estava velho e cansado.

Como os outros deuses do Ogdóade, Nun era representado como um homem com cabeça de rã, mas também poderia aparecer como um homem barbudo com pele azul ou verde, refletindo sua ligação com o rio Nilo e fertilidade. Na última forma, ele podia ser bastante semelhante a Hapi, o deus do Nilo, e muitas vezes aparece em um barco solar ou emergindo das águas segurando uma folha de palmeira, símbolo de vida longa. Ocasionalmente, ele aparece como um deus intersexual com seios pronunciados. Ao que parece, Nun não tinha templos nem rituais específicos dedicados a ele, mas era representado em vários templos pelos lagos sagrados que simbolizam as águas caóticas antes da criação.

Nut
(Nuit, Nwt)

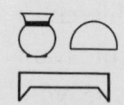

Nut era a personificação do céu visível e celestial. Os egiptólogos acreditam que Nut era uma deusa do céu originalmente adorada pelas primeiras tribos da região do Vale do Nilo. No Baixo Egito, a Via Láctea era vista como a imagem celestial de Nut. Ela era filha de Shu, o deus do ar, e de Tefnut, a deusa da umidade, e se tornou o céu, enquanto seu irmão Geb se tornou o deus da terra.

O mito conta que Nut e Geb eram inseparáveis, o que não deixava espaço para que Atom-Rá, o deus criador, seguisse com o processo de criação. Atom-Rá e Shu, que tinham ciúmes da proximidade entre Nut e Geb, não queriam que eles tivessem filhos. Para separá-los, Shu elevou Nut, que se tornou o céu, enquanto Geb permaneceu abaixo dela para formar a terra.

Em outro mito, Nut é mencionada como mãe de Rá e os Textos das Pirâmides revelam que seu corpo se torna um caminho para o sol transcorrer. Rá passa através do corpo de Nut durante o dia antes da deusa engoli-lo à noite. Então, Nut dá à luz a Rá novamente pela manhã e um novo dia se inicia.

Rá teria decretado que Nut não poderia dar à luz outros seres em nenhum dia do ano. A deusa teria, então, conspirado com Thoth, o deus da sabedoria, e assim ganhou cinco dias extras da lua para que Nut tivesse cinco filhos: Osíris, que nasceu no primeiro dia; Hórus, o Velho, no segundo; Set no terceiro; Ísis no quarto e Néftis, a última, nascida no quinto dia. Esses dias eram uma época de celebração em todo o Egito e servem de mito etiológico[42] de como o ano passou a ter 365 dias, sendo que o calendário egípcio era constituído de 12 meses com 30 dias cada, totalizando 360.

A aparência de Nut variava muito nas representações pelo Egito. Uma das formas mais comuns de Nut — encontrada inclusive na tumba de Ramsés VI, no Vale dos Reis — a apresenta como um arco que se estende sobre a terra. Seu corpo forma um semicírculo com apenas os dedos das mãos e dos pés tocando o chão. Estrelas douradas cobrem seu corpo para representar as almas de seus filhos. Seu marido, Geb, reclina-se debaixo dela e representa as colinas e vales da Terra. Em algumas versões, seu pai, Shu, a segura.

---

42 Mito de criação, surgimento de algo.

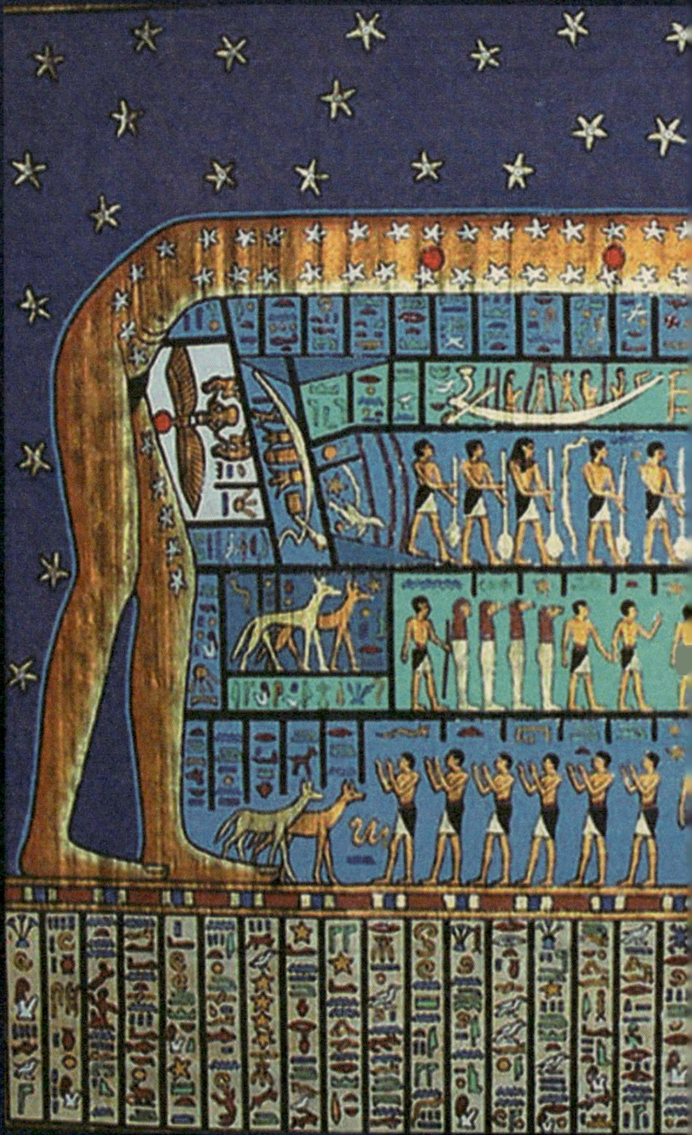

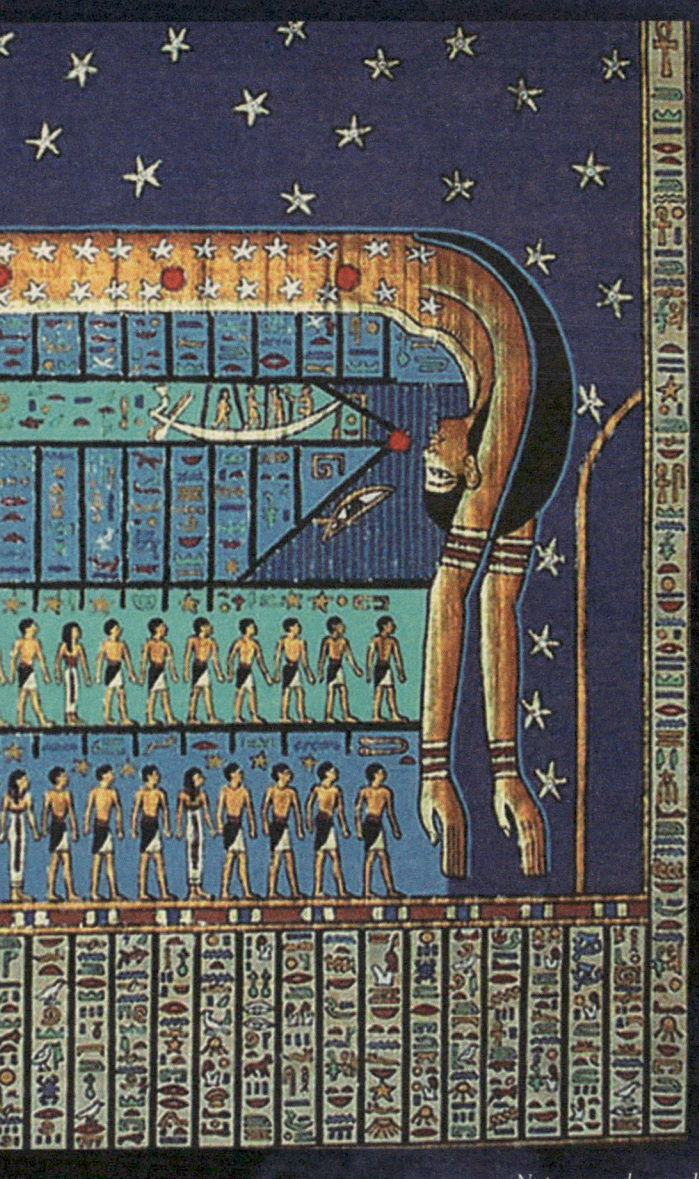

Nut curvando-se sobre a Terra.

Algumas representações a mostram sentada com um pote de água, o hieróglifo de seu nome, que os egiptólogos acreditam representar um útero, na cabeça. Quase todos os sarcófagos localizados no Museu do Cairo apresentam a figura ou rosto de Nut dentro das tampas dos caixões como um símbolo do céu sobre a alma na vida após a morte. Em algumas representações, ela tem asas protetoras, enquanto em outras ela é representada como uma escada. Seu papel na vida após a morte estava intimamente ligado à visão dela como a mãe definitiva. A jornada da morte traria os mortos de volta aos braços da deusa-mãe, Nut, assim como a noite traria Rá de volta para ela.

Nut às vezes é retratada como uma vaca com olhos representando o Sol e a Lua, ou uma porca gigante, cujos leitões eram as estrelas, que Nut engolia todas as manhãs. A árvore de sicômoro, representando proteção e eternidade, é outro símbolo associado a Nut.

Nut é frequentemente retratada segurando o *ankh* ou um cetro. Este cetro é um longo bastão com uma cabeça de animal no topo, um símbolo de autoridade e poder divino. Imagens e representações de Nut estavam presentes em muitas formas de arte diferentes, desde tumbas até templos e manuscritos. Por exemplo, ela é representada nas abóbadas de tumbas pintadas em azul escuro e com muitas estrelas. Muitos festivais para Nut aconteciam ao longo do ano, mas nenhum templo ou centro de culto específico a ela foi identificado.

Osíris

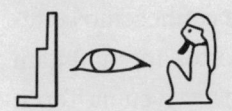

Osíris é um deus egípcio da vida, morte e ressurreição. Ao longo do tempo, ele assumiu muitos papéis, nomes e formas diferentes na mitologia egípcia antiga. Osíris é, na verdade, a forma grega de seu nome: o deus era conhecido como Asir no Egito e tinha diversos epítetos, como "Senhor da Eternidade", "Grande Deus" e "Mais importante dos ocidentais". O oeste era associado à morte e o termo "ocidentais" se tornou sinônimo daqueles que passaram para a vida após a morte.

Osíris aparece em muitas histórias e mitos documentados em textos religiosos antigos como filho mais velho de Geb, o deus da Terra, e Nut, a deusa do céu. Ele é irmão de Set, Hórus, o Velho, Ísis e Néftis, e pai de Hórus, o Jovem (com Ísis) e Anúbis (com Néftis).

Osíris passou ao mundo dos homens depois que Rá deixou o mundo para governar os céus, mas foi assassinado por seu irmão Set, que mais tarde desmembrou seu corpo e espalhou seus restos mortais. Muito triste, sua esposa Ísis remontou as partes através de sua mágica e conseguiu dar-lhe vida, mas não foi o suficiente para que ocupasse seu lugar de volta com os vivos. Em vez disso, ele viajou para o submundo, um lugar aparentemente escuro e desolado. Atom-Rá assegurou-lhe que ele encontraria paz e contentamento sendo rei dos mortos, e que seu próprio filho, Hórus, governaria os vivos até o momento em que Atom-Rá decidisse desfazer sua criação e que tudo voltasse a ser apenas o nada e o caos inicial. Mais tarde, quando a teologia de Heliópolis (a Enéade) e Hermópolis (a Ogdóade) foram fundidas, Osíris assumiu o papel de Anúbis como o deus do submundo, embora este ainda permanecesse popular.

Os textos religiosos mais antigos que conhecemos referem-se a Osíris como o grande deus dos mortos, mas apontam que, um dia, ele já possuiu forma humana e viveu na Terra: apenas após seu assassinato por Set, Osíris se tornara o rei do submundo e passou a presidir o julgamento das almas que chegavam ao submundo.

Osíris também estava relacionado à agricultura. Pode parecer estranho que um deus que represente a morte e o submundo possa vir a estar relacionado à fertilidade da agricultura, mas, na verdade, faz muito sentido se levarmos sempre em consideração que, para os antigos egípcios, a morte não era vista como um fim ou algo meramente negativo, e, sim, uma passagem, transformação e renascimento, processos que se comparam aos ciclos de crescimento e decadência vividos na natureza. A cada colheita, o deus era morto simbolicamente e seu corpo quebrado no chão da eira, mas depois do período de cheias a vida voltava à terra e as plantações nasciam mais uma vez.

Até mesmo como deus da morte, Osíris não era temido ou abominado: ele era associado à ressurreição e regeneração, e sua presença no mundo subterrâneo era considerada reconfortante. Esse fato é ilustrado em muitos retratos em que ele tem um sorriso gentil no rosto. Osíris também supostamente persuadiu os egípcios a acabar com o canibalismo, embora não haja evidências de que eles tenham sido canibais em momento algum.

O renascimento de Osíris estava associado ao rio Nilo, considerado um símbolo de seu poder vivificante. Os festivais de Osíris eram realizados para celebrar a beleza do deus e seu poder transcendente, mas também sua morte e renascimento. O festival da Queda do Nilo comemorava sua morte, enquanto o Festival Pilar de Djed celebrava a sua ressurreição.

Osíris era geralmente descrito como um rei mumificado. Ele geralmente usava uma barba como a dos faraós e carregava um cajado e um mangual. Sua pele era geralmente verde ou preta e ele usava a coroa branca do Alto Egito ou a coroa Atef (a coroa branca com uma pluma de cada lado e um disco no topo). O deus é associado ao mítico pássaro Bennu, que ressuscita das cinzas e serviu de inspiração para a Fênix grega.

Osíris também conseguiu absorver muitas outras divindades, expandindo sua adoração para todo o Egito. Ele era mais intimamente associado com Andjety, Sahu, Khentiamentiu, Sepa, Banebdjedet, Wepwawet, Serápis e Anhur em sua forma como Ari-hes-nefer e ambos os touros: Apis e Buchis.

Osíris do túmulo de Sennedjem, c.1290 AEC, pintura parietal.

Ptá

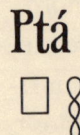

Ptá era o deus egípcio dos artesãos, reverenciado especialmente por seus próprios esforços criativos. Em alguns mitos, ele teria sido o deus responsável por criar o cosmo, simplesmente manifestando em palavras o que tinha em sua mente. Como explica Kristopher Henke:

> Os antigos egípcios usavam a palavra "k-m-t" ou "kemet" para se referir à sua própria terra, mas os forasteiros tinham outros nomes. A palavra "Egito" vem do grego Αἴγυπτος (Aigyptos), que se acredita derivar do egípcio médio "ḥwt-ka-Ptá", que significa "Casa da Alma de Ptá". O mesmo nome foi traduzido como "hi-ku-ptah" no egípcio tardio e também é a fonte do nome "copta". Os três hieróglifos em frente ao rosto de Ptá acima, que se assemelham a uma esteira, um semicírculo e um pavio retorcido, são lidos "p-t-h" (a grafia egípcia de Ptá) da direita para a esquerda.[43]

Além de ser o patrono de escultores, pintores, construtores, carpinteiros e outros artesãos, ele também era um deus do renascimento, a quem às vezes se atribuía a cerimônia da Abertura da Boca, um ritual que restaurava a vida ao falecido (embora este também estivesse associado a Anúbis e Wepwawet). Ptá não era apenas um deus da criação, mas também o catalisador para o renascimento de uma alma

---

[43] HENKE, K. *9 Surprising Facts about the Egyptian God Ptah*. The Collector. Disponível em: <https://www.thecollector.com/egyptian-god-ptah/>. Acesso em: 05 nov. 2022.

na vida após a morte. Entretanto, curiosamente, apesar de ser um deus da criação, Ptá não foi criado, mas sim existiu desde sempre, antes de tudo e todos. Nas palavras de Henke, mais uma vez:

> *Ele desejou que o mundo existisse com o poder de sua mente, como um grande mágico de proporções celestiais. Não satisfeito ali, ele usa seu discurso (literalmente "palavra") para dar vida à sua criação. Nos textos de Mênfis, o tempo presente é usado, indicando o ato contínuo de sustentar a vida.*[44]

Ptá era geralmente retratado como um homem verde mumificado, porém com os braços soltos segurando um cajado que incorporava o *ankh* (representando a vida), o *was* (representando o poder) e o *djed* (representando a estabilidade). Outra característica curiosa é que sua barba era sempre reta, contrastando com as dos outros deuses, que geralmente apareciam retas enquanto estavam sendo representados vivos e curvadas quando estavam mortos. Ptá comumente aparece em um pedestal, que também era um dos símbolos hieroglíficos usados para escrever o nome de Ma'at.

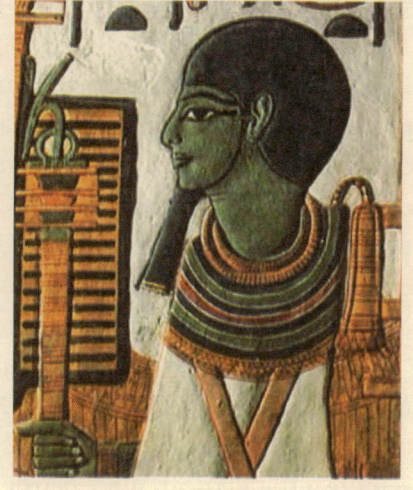

---

44 Ibid. loc. cit.

Quando descrito como o deus composto Ptá-Sokar-Osíris, usa um disco solar com chifres de carneiro retorcidos e longas plumas ou a coroa de *atef*; e estátuas dele nesta forma geralmente incluíam uma cópia de feitiços do Livro dos Mortos.

Além de deus criativo e do renascimento, Ptá era um grande protetor do Egito. Segundo o mito, ele salvou a cidade de Pelusium dos invasores assírios e ordenou que todos os vermes nos campos mastigassem as cordas dos arcos e os cabos dos escudos do inimigo, destruindo suas armas e enviando-os para casa em pânico.

Qetesh
(Kadesh, Qatesh, Qadeshet, Qadesh, Qudshu, Quodesh)

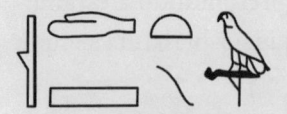

É uma divindade semítica da natureza, da beleza e do prazer sexual que só foi incorporada à religião antiga egípcia durante o Império Novo. Ao que parece, inicialmente Qetesh era apenas uma divindade local da Cananeia, em vez de uma deusa totalmente independente. Quando sua adoração se espalhou para o Egito, ela foi associada ao deus da fertilidade Min. Seus epítetos incluem "Senhora de Todos os Deuses", "Senhora das Estrelas do Céu", "Amada de Ptá", "Grande em Magia", "Senhora das Estrelas" e "Olho de Rá, Sem Igual".

Como Bes e Hator, ela é uma das poucas divindades que é sempre retratada de frente, e não de perfil, como era comum com os outros deuses. Qetesh aparece frequentemente como uma mulher nua nas costas de um leão com uma lua crescente na cabeça. Após ser incorporada ao panteão egípcio, ela passou a ser retratada também usando a coroa de Hator ou um par de chifres de vaca e um disco solar, também ligados à mesma deusa.

Em suas representações, Qetesh está frequentemente segurando cobras (que representariam a genitália masculina) ou uma planta de papiro em sua mão direita e flores de lótus (representando a genitália feminina) em sua mão esquerda.

Qadesh, montada em um leão, segurando uma flor de lótus e uma cobra

Rá

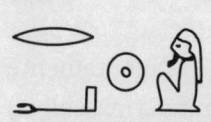

Rá é o deus egípcio do Sol e representava a vida, o calor e o crescimento para os antigos egípcios. Ele era tão importante que ganhou o status de Rei dos Deuses; e os reis ou faraós egípcios se intitulavam "filhos de Rá". Há quem proponha até mesmo que as pirâmides representem os raios de luz que se estendem do sol e, portanto, esses grandes monumentos conectavam o rei com Rá.

Rá não só personificava o poder do Sol, mas também era considerado o próprio corpo celeste. As pessoas imaginavam que o grande deus navegava em sua barca pelos céus ao longo do dia e era engolido por Nut, descendo ao submundo ao pôr do sol. Ele então viajava pelo submundo em um barco chamado Sektet durante a noite, defendendo-se e vencendo monstros como a serpente Apófis, que tentava impedir que o sol nascesse novamente e, assim, pretendia destruir toda a vida na Terra. As orações e as bênçãos dos vivos supostamente o acompanharam junto com as almas dos mortos. Pela manhã, ele viajava em um barco chamado Matet.

Analisar Rá é uma tarefa complicada, pois é necessário levarmos em conta que as divindades da religião antiga egípcia não eram fixas, ou seja, que a forma como um deus era entendido — e até mesmo seus laços de parentesco — podiam sempre mudar dependendo do período e da região em questão. Os deuses também podiam absorver uns aos outros (ou pelo menos algumas de suas características), se reorganizarem e se unirem até mesmo em divindades compostas, e isso foi muito frequente no caso de Rá, dada sua grande popularidade.

A primeira menção ao deus acontece nos Textos das Pirâmides (c. 2.400-2300 AEC), as obras religiosas mais antigas do mundo, que foram inscritas nos sarcófagos e nas paredes dos túmulos em Saqqara. Acredita-se que a adoração a Rá já estava muito bem estabelecida na época da produção desses textos que, por sua vez, parecem derivar de uma tradição oral muito anterior. Nessas inscrições, Rá leva a alma do rei ao paraíso do Campo de Juncos em sua barca solar, não apenas como um governante ou oficial supremo dos deuses, nem simplesmente como um consolador ou receptor das almas recém-chegadas na vida após a morte, *mas como a personificação da ordem e do equilíbrio divinos*.

Ele também é, por vezes, conhecido como "Aquele que se autocriou", pois em determinado momento se fundiu com o deus autocriado Atom, tornando-se uma só divindade composta chamada Atom-Rá.

Representações

Rá é retratado em muitas peças de arte egípcia antiga encontradas em templos, tumbas, hieróglifos e relíquias. Ele era geralmente representado na forma humana, principalmente com uma cabeça de falcão coroada por um disco solar e uma cobra sagrada chamada Ureu circundando o disco. Às vezes, sua cabeça também assumia a forma de um carneiro ou de um besouro, dependendo da divindade com a qual ele se fundia.

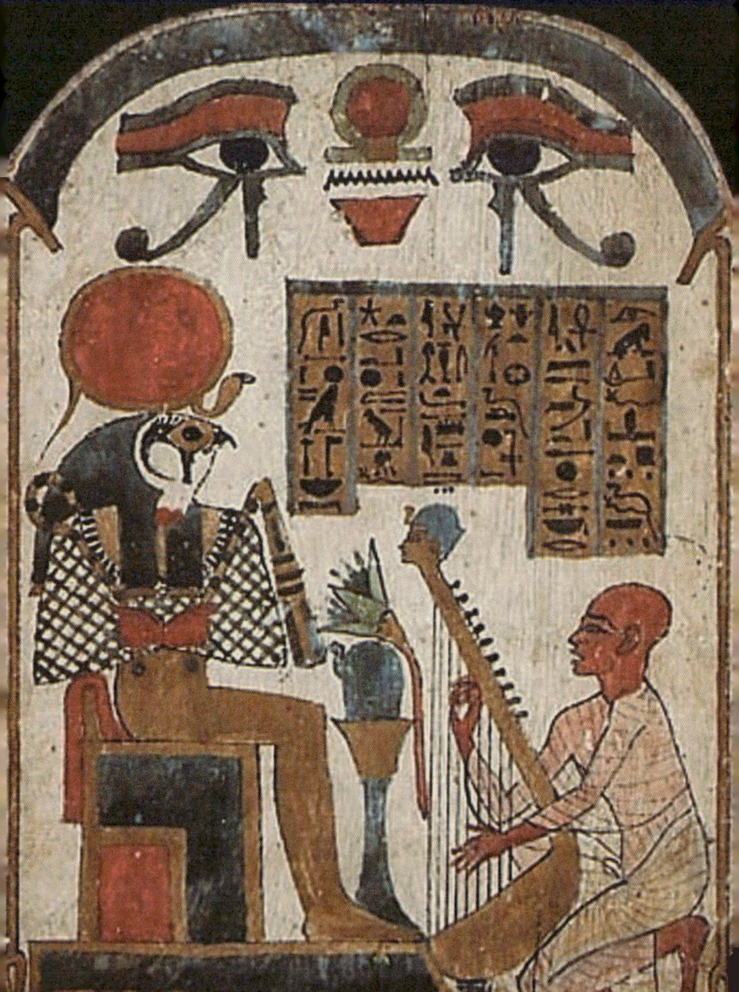

Templos

Os faraós egípcios gastavam muito do dinheiro em templos solares durante a Quinta Dinastia e, obviamente, muitos foram construídos em homenagem a Rá. No Império Novo, aparecem nas paredes da tumba inclusive textos detalhados que descrevem a jornada de Rá nos barcos do sol, enquanto hinos, orações e feitiços eram criados em atos de adoração. Ao contrário do tipo padrão de templo egípcio, esses templos eram abertos à luz do sol e não apresentavam uma estátua do deus porque ele era representado pela própria luz solar. Em vez disso, o templo era centrado em um obelisco e um altar.

Acredita-se que o primeiro templo solar mais significativo foi o erguido em Heliópolis, às vezes chamado de "Benu-Fênix". Acreditava-se que sua localização fosse o local onde Rá emergiu pela primeira vez no início da criação, e a cidade recebeu seu nome "Iwn", palavra para pilar.

Amon-Rá também era popular na Núbia e os gregos o associavam a Zeus, por isso ele permaneceu popular durante o período ptolomaico. No entanto, depois desse ponto, o Egito foi governado por uma série de governantes estrangeiros que não eram associados ao deus dos faraós e, portanto, sua popularidade diminuiu.

Renenutet
(Renenet, Ernutet, Termuthis)

Renenutet era uma deusa naja da região do Delta relacionada à amamentação, à criação dos filhos e à fertilidade.

Conhecida como a "Cobra que nutre", ela não só era uma deusa que às vezes era mostrada amamentando uma criança, mas também oferecia proteção ao faraó na terra dos mortos.

Ela era uma deusa muito poderosa e seu olhar tinha o poder de destruir seus inimigos. No entanto, os antigos egípcios não tinham motivos para temê-la, pois ela lhes oferecia proteção em muitas áreas de suas vidas.

Esta divindade cobra era reverenciada como protetora da monarquia e deusa das colheitas, mas também estava associada ao destino, à sorte, à prosperidade e à felicidade. Como protetora da monarquia, ela era representada como uma poderosa adversária para todos os inimigos do Egito, com chamas saltando de sua boca e dos seus olhos. Ela também estava associada a criação de filhos, incluindo os da realeza.

Sua conexão com a prosperidade e o destino estendia-se às escolhas que eram feitas durante a vida de alguém, relacionando-a também a Ma'at, a antiga deusa egípcia da verdade e da justiça. Um de seus títulos era a "Senhora da Justificação".

Renenutet era responsável por atribuir o *Ren,* ou seja, o nome da pessoa, que, para os antigos egípcios, fazia parte de sua alma. Os antigos egípcios acreditavam que, para uma pessoa desfrutar da vida eterna, sua imagem e seu nome deviam sobreviver. Em outras palavras, o nome era entendido como algo de extrema importância, pois era dado à pessoa no momento de seu nascimento e acreditava-se que a pessoa viveria enquanto ele fosse lembrado.

Os Textos das Pirâmides contam que Renenutet era também uma deusa da abundância e da boa fortuna. As cobras eram frequentemente vistas nos campos, caçando os roedores que ameaçavam a colheita. Por ser uma deusa-cobra, Renenutet era entendida como a protetora da colheita e recebeu os epítetos de "Deusa do Duplo Celeiro", "Senhora dos Campos Férteis" e "Senhora dos Celeiros".

Em alguns momentos, ela era adorada como a consorte de Sobek. O casal, junto a seu filho Neper, o deus-filho dos grãos e da colheita, formava uma tríade de divindades agrícolas.

Ela também estava ligada à chegada da cheia e a Hapi, o deus do Nilo. Na Estela da Fome, inscrições feitas numa enorme rocha de granito da ilha de Sehel, no rio Nilo, é possível encontrar a seguinte menção à deusa:

> Eu farei o Nilo encher para você, sem que haja um ano de carência e cansaço em toda a terra, para que as plantas floresçam, dobrando-se sob seus frutos. Renenutet está em todas as coisas — tudo será produzido aos milhões e todos [...] em cujo celeiro houve escassez. A terra do Egito está começando a se mexer novamente, as praias estão brilhando maravilhosamente e a riqueza e o bem-estar com elas estão como antes.[45]

Na época greco-romana, seu centro de culto estava localizado em Kom Abu Billo (Terenuthis). Os faraós Amenemhet III e Amenemhet IV fundaram um templo em homenagem à deusa em Medinet Maadi e, mais tarde, os governantes ptolomaicos o aumentaram e o expandiram.

---

45 TOUR EGYPT. *The Famine Stele on the Island of Sehel*. Disponível em: <touregypt.net/faminestele.htm>. Acesso em: 31 out. 2021.

Renpet

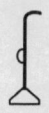

Renpet uma deusa relacionada à primavera, à juventude e à fertilidade. Seu nome significa "ano", e ela era frequentemente conhecida como a "Senhora da Eternidade". Renpet era adorada na região de Mênfis e era considerada um aspecto de Ísis.

Ela é retratada como uma jovem mulher usando um ramo de palmeira sobre a cabeça, provavelmente representando o tempo. Curiosamente, esse glifo aparece regularmente em monumentos e documentos ao longo da história egípcia marcando o início da frase que registra o ano de reinado dos faraós.

Reshep
(Rahshaf, Rasap, Rashap, Resep, Reshef, Reshpu, Rapha, Repheth)

Reshep era um deus sírio da guerra e das pragas trazido ao panteão egípcio durante a décima oitava Dinastia. Acreditavam que Reshep pudesse usar suas habilidades para proteger as pessoas comuns contra doenças. Em particular, acreditava-se que ele fosse capaz de repelir o demônio "akha", que causava dores de estômago. Por causa de seus dons marciais e sua relação com a guerra e o combate, ele também era reverenciado como um poderoso defensor dos faraós.

Ele geralmente é retratado carregando alguma arma de guerra, como uma lança ou machado e usando uma barba estilo sírio. Outras imagens o mostram usando a coroa *Hedjet* Branca do Alto Egito com uma fita esvoaçante atrás e adornada na frente com a cabeça de uma gazela, ao invés do símbolo da cobra Ureu.

No Egito, ele era conhecido como "Senhor do Céu" ou "Senhor da Eternidade" e uma área do vale do Nilo foi rebatizada de "Vale de Reshep" em sua homenagem. Ele se tornou muito popular entre a grande população egípcia, pois acreditavam que ele ouvia e respondia às orações daqueles que sofriam de alguma enfermidade e precisavam de ajuda.

Reshep era frequentemente considerado o marido de Qetesh, outra deusa importada da Síria, e pai de Min. No entanto, ele também é descrito como o marido de Itum, talvez devido ao seu poder de controlar doenças.

Outras conexões possíveis eram com o deus Set, pois os dois eram associados ao antílope, e ao deus da guerra tebano Montu. Os gregos o associavam a Apolo e, ocasionalmente, a Marte (novamente por causa da conexão militar). Seu centro de culto era situado em Biblos, Canaã, onde um grande templo ao deus foi construído durante o período do Novo Reino.

Sah

> *"A constellation of divine architecture built on Earth*
> *A holy harbour — Orion*
> *Nautical ascension to the firmament"*.[46]
>
> Nightwish – *The Pharaoh Sails to Orion*

Sah era um deus estelar e também personificação da constelação de Órion. Sua consorte Sopdet (ou Sothis) representava a estrela Sirius (a "estrela do cachorro") e seu filho, Sopdu, representava Vênus.

De acordo com os antigos mitos egípcios, Sah era engolido pelo submundo a cada amanhecer, mas ressuscitava todas as noites. Ele é frequentemente mencionado nos Textos das Pirâmides do Império Antigo, onde é chamado de "pai dos deuses". Imaginava-se que, após sua morte, o faraó viajava para Órion. De acordo com os textos, o falecido faraó entraria no céu "Em nome do Morador de Órion, com uma estação no céu e uma estação na Terra" e que ele "deve alcançar o céu como Órion, (e assim) sua alma será tão eficaz quanto Sothis".

Sah era frequentemente retratado cercado por estrelas enquanto navegava pelo céu em um esquife de papiro em cenas encontradas em templos e tumbas.

---

46 Trecho da letra da música *The Pharaoh Sails to Orion* da banda de metal melódico Nightwish.

Sah (a constelação de Órion) assimilado ao Grande Deus Osíris, de pé em seu barco, usando a Hedjet (a Coroa Branca) e segurando o cetro "Was" de poder e domínio em sua mão esquerda. Ao seu lado, encontra-se Hórus em sua forma de Falcão. Detalhe do teto do Salão Hipostilo do Templo de Hator em Iunet.

Satet
(Setet, Sathit, Satit, Sati, Setis ou Satis)

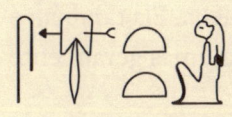

Satet era uma deusa-arqueira das cataratas do Nilo, guardiã da fronteira sul do Egito com a Núbia e deusa da água e da caça.

Enquanto deusa da água, ela era fortemente associada à inundação anual do rio Nilo. Seu nome a liga à Ilha Setet (Sehel), onde um grande santuário foi dedicado a ela. A cheia anual, uma parte vital do ciclo agrícola, era de importância crítica para a riqueza do Egito e a civilização dos egípcios. Pouca água causaria fome, e muita água das enchentes seria igualmente desastrosa ao limitar a semeadura de novas safras.

Estruturas chamadas nilômetros foram criadas para medir a clareza do rio Nilo e o nível da água durante a estação anual de cheias, tendo indicativos de catástrofes como enchentes ou fome. Um nilômetro em específico foi associado ao Templo de Satet, com uma escada de pedra que desce pelo corredor. Na escada, há inscrições dedicadas aos deuses da Tríade Elefantina: Satet, Khnum e Anuket, pedindo uma travessia segura pelas águas perigosas para a Núbia ou um retorno calmo para o Egito.

Segundo o mito, na "Noite da Lágrima" Ísis derramaria uma única lágrima, que era capturada por Satet e despejada no Nilo, causando a cheia. Dessa forma, tanto Satet quanto Ísis se relacionavam a Sothis, a estrela Sirius que aparecia no céu pouco antes da chegada da cheia todos os anos.

Ela é retratada como uma mulher vestindo a Hedjet (coroa branca) do Alto Egito decorada com plumas de avestruz (a coroa *Atef*) ou chifres de antílope. Devido à sua ligação com Sothis e à cheia, ela às vezes era retratada usando uma estrela na cabeça e carregando potes de água. Ela também é encontrada carregando um arco e flechas, mas geralmente leva em suas mãos o cetro e um *ankh*.

Sekhmet
(Sachmis, Sakhmet, Sekhet, Sakhet, Scheme)

Sekhmet era a deusa do sol quente do deserto, da praga, do caos, da guerra e da cura. Ela era uma divindade do sol extremamente importante no Antigo Egito e, em muitos casos, era considerada a manifestação divina do poder de Rá.

Sekhmet era muito temida não apenas como a deusa guerreira da destruição, mas também porque se acreditava que ela fosse a portadora da praga e da peste, o que ela não hesitaria em enviar a quem a desafiasse. Por esta razão, ela era chamada de "A Portadora das Pragas". Os mitos contam que sua respiração era como os ventos quentes que sopravam do deserto e que sempre que ela expirava, fogo saía de suas narinas.

Apesar de suas características altamente destrutivas, Sekhmet era também venerada por sua habilidade de cura e proteção. Acreditava-se que ela possuísse o antídoto para todas as doenças e pragas que existissem. Muitos acreditavam que ela tinha o poder de resolver todos os problemas que acometiam a humanidade e, por esse motivo, ela era invocada frequentemente em feitiços, encantamentos e amuletos para evitar doenças. Seus sacerdotes eram médicos, cirurgiões e mágicos que eram consultados pelas famílias reais para a cura de doenças e enfermidades, sempre sob sua proteção e orientação. Assim, a mesma deusa que era conhecida como "Senhora do Terror", também era chamada de "Senhora da Vida".

Para ter sua ajuda, os egípcios lhe ofereciam comida e bebida, tocavam música e queimavam incenso. Eles sussurravam suas orações nos ouvidos de múmias de gatos e as ofereciam a Sekhmet, pois acreditavam que esta era uma conexão direta com as divindades e, desta forma, suas orações seriam atendidas.

Seu nome era comumente invocado durante os rituais de embalsamamento. Além disso, quando um faraó morto estava sendo enterrado, os egípcios costumavam colocar várias estátuas e símbolos de Sekhmet na tumba. O templo funerário de Amenhotep III, por exemplo, tinha cerca de mil estátuas dela.

A deusa Sekhmet é geralmente relacionada à medicina. A relação pode parecer um pouco estranha para quem conhece o mito do olho de Rá, mas, ainda que multifacetada, existe sim uma correlação interessante entre as duas coisas. Segundo o mito, o deus do Sol, Rá, estava envelhecendo e a humanidade não lhe dava mais ouvidos, o que o estava irritando profundamente. Então ele pediu a Sekhmet para ser seu olho e a enviou à Terra para destruir a humanidade. Nesse meio tempo, Rá desiste de seu plano, mas já era tarde demais para voltar atrás e parar Sekhmet. O deus Sol pede que seus assistentes façam uma mistura de romã e cerveja até ficar com o aspecto de sangue e cobrem a terra com esse líquido. Ao dizerem à deusa que aquilo se tratava do sangue da humanidade, ela diz que vai bebê-lo em comemoração pelo que fez. Contudo, ao consumir a mistura, ela fica embriagada e cai adormecida, esquecendo-se, ao acordar, de terminar sua missão. Portanto, a partir dessa narrativa, Sekhmet não apenas tinha o poder de enviar pestes e doenças aos humanos, como chegou muito perto de destruir totalmente a humanidade.

A associação da deusa com a medicina provavelmente é feita pela propriedade do *conhecimento de como conseguir a cura*, não pela escolha entre usá-lo ou não. Além disso, em uma versão do mito, Ptá é a primeira coisa que ela vê ao acordar e imediatamente se apaixona por ele. Sua união (criação e destruição) gerou Nefertum (cura) e assim restabeleceu *Ma'at*.

A salvação da humanidade era comemorada todos os anos no dia da festa de Hator/Sekhmet. Todos bebiam cerveja com suco de romã, adoravam à deusa e se divertiam e dançavam durante a noite toda. Além de ser uma espécie de festival de agradecimento, os egípcios também usavam a noite para pedir as bênçãos divinas de Sekhmet e proteção contra pragas e espíritos malignos.

O principal centro de culto de Sekhmet ficava em Mênfis e, muitas vezes, ela era adorada com seu marido Ptá e seu filho Nefertum. Nas artes e esculturas antigas, ela era retratada como uma mulher com cabeça de leoa. No topo de sua cabeça havia um disco solar e a serpente ureu. A cor vermelha — associada ao sangue — era frequentemente usada em suas representações. Ao contrário de outras deusas, em algumas representações ela aparece com pouca ou nenhuma roupa. Os outros símbolos associados a Sekhmet eram o *ankh* — que representava a vida eterna e simbolizava seu poder de dar ou tirar a vida — e o cetro ritual de Sekhem, que simbolizava seu poder.

Alguns de seus epítetos comuns incluem "Filha de Rá"; "Aquela que é poderosa"; "Aquele diante de quem o mal treme" e "Senhora do Massacre". Como resultado de suas habilidades de cura, ela às vezes é chamada de "A Piedosa". Sekhmet é mencionada várias vezes nos feitiços de O Livro dos Mortos como uma força criativa e destrutiva, mas acima de tudo, ela é a protetora de Ma'at, chamada de "Aquela que Ama Ma'at e que detesta o mal".

Por vezes, Sekhmet era interpretada como o lado guerreiro e protetor de Bastet, enquanto esta, era considerada o lado mais gentil. Muitos dizem nunca haver existido essa correspondência entre as entidades felinas, mas seja como for, ambas estavam ligadas por um laço de sangue, visto que eram filhas de Rá.

Quatro estátuas em granito preto da deusa Sekhmet, todas originárias de Tebas, no Templo de Mut. Do reinado de Amenófis III, por volta de 1400 AEC.

Sepa

Sepa é um deus centopeia. Ele era visto, acima de tudo, como um deus protetor. Os antigos egípcios observaram que os insetos atacavam os cadáveres, mas as centopeias, por sua vez, se alimentavam deles, e concluíram que as centopeias deviam estar, assim, protegendo o mortos.

Entretanto, Sepa também está associado à fertilidade. Criaturas como minhocas e besouros desempenham um papel importante para melhorar a qualidade e a fertilidade do solo e, como as centopeias costumam seguir as minhocas, a associação também foi criada.

Acreditava-se que Sepa tivesse controle sobre todos os animais peçonhentos e poderia ser invocado para proteção contra picadas de cobra e escorpião. O deus-centopeia tinha um importante centro de culto na antiga cidade egípcia de Kheraha, situada ao norte de Mênfis e onde mais tarde foi fundada a cidade do Cairo. Inclusive, a estrada conhecida como "caminho de Sepa" leva ao centro da Cairo moderna.

Por ser um protetor dos mortos, ele era representado como uma múmia com dois chifres, em referência às antenas proeminentes das centopeias. Sepa às vezes recebia a cabeça de um burro, possivelmente porque o estrume de burro era usado para deixar o solo mais fértil.

Serket
(Selket, Serqet, Selqet, Selkit, Selkis)

> *(Eu sou) Serket, senhora do céu e senhora de todos os deuses. Eu vim antes de você (Ó) Grande Esposa do Rei, Senhora das Duas Terras, Senhora do Alto e Baixo Egito, Nefertari, Amada de Mut, Justificada Diante de Osíris que Reside em Abtu (Abidos), e eu dei a você um lugar na terra sagrada, para que possa aparecer gloriosamente no céu como Rá.*[47]
>
> Inscrição na Tumba de Nefetari, Serket falando com Nefertari

Serket era a deusa-escorpião egípcia da magia, da proteção e da cura. Ela era conhecida por punir os malfeitores com sua ira: quem a desafiasse poderia ser punido com o veneno de um escorpião ou cobra, causando falta de ar e morte. Entretanto, assim como ela era capaz de matar, também tinha o dom de dar fôlego novamente aos mortos justificados, ajudando-os a renascer na vida após a morte.

No Livro dos Mortos, ela é associada aos dentes do falecido. Uma versão mais longa de seu nome (*srq.t-Ht.w*) é traduzida muitas vezes como "Aquela que deixa a garganta respirar" ou, inversamente, "aquela que paralisa a garganta", sempre relacionando-a com o sopro de vida. Ela também estava conectada ao ponto cardeal oeste, que era associado à morte e ao renascimento.

---

[47] ANCIENT EGYPT ONLINE. *Serqet*. Disponível em: <https://ancientegyptonline.co.uk/serqet/>. Acesso em 15 nov. 2021.

O famoso símbolo de Serket era o escorpião, um animal que era numeroso nas regiões desérticas do Antigo Egito. Acreditava-se que ele simbolizasse o caos e fosse, na verdade, formas assumidas pelos mortos inquietos. A peçonha dos escorpiões é extremamente tóxica e as picadas desse animal liberam um veneno que interfere no sistema nervoso e pode causar paralisia e dificuldades respiratórias, geralmente resultando em morte por asfixia. É fácil de entender o porquê que os antigos egípcios temiam tanto a picada do animal e o associavam ao caos, buscando alguma forma de proteção.

Os sacerdotes dessa divindade — no Antigo Egito, a medicina era uma mistura de folclore, magia e ciência — recebiam o título de "Seguidores de Serket". Eles tinham prescrições

Estatueta da deusa Serket, coleção do Louvre.

médicas e feitiços mágicos para tratar as picadas e também aplicavam o chamado "tratamento com faca", provavelmente uma referência à tentativa de fazer incisões para cortar a pele e tirar o veneno. Amuletos de escorpião eram colocados em volta do pescoço de pessoas que haviam sido picadas e feitiços mágicos eram lançados invocando a ajuda de Serket. Feitiços também eram colocados nas portas das casas e dos templos para pedir proteção contra as picadas. Havia outra deusa-escorpião egípcia chamada Hedetet que se assemelhava a Serket e era retratada com a cabeça de um escorpião e aparecia, às vezes, amamentando um bebê.

Durante o processo de mumificação, o fígado, os pulmões, o estômago e os intestinos do falecido eram colocados em recipientes especiais chamados vasos canópicos. Qebehsenuef, um dos Filhos de Hórus, era o responsável por guardar os intestinos da múmia (que os antigos associavam a venenos) e era também papel dessa deusa protegê-lo.

Acreditava-se que ela fosse a mãe ou filha do deus do sol Rá e, portanto, sua ira era considerada como o sol ardente do meio-dia. Provavelmente por causa de sua ligação muito próxima com Ísis e sua irmã Néftis, ela era considerada a esposa de Hórus e a mãe de Harakhety (Hórus do Horizonte) em Djeba (Utes-Hor, Behde, Edfu). Os Textos das Pirâmides afirmam que ela era a mãe de Nehebkau, um deus cobra que protegia o faraó de picadas de serpentes.

Em geral, Serket aparece na forma de uma mulher com um escorpião na cabeça ou como um escorpião com cabeça de mulher, embora isso não fosse muito comum. Ela às vezes aparece usando a coroa de Hator (um disco solar e chifres de vaca), mas acredita-se que isso tenha mais a ver com sua associação com Ísis. Embora ela tivesse um sacerdócio, nenhum templo para essa deusa foi encontrado até hoje.

A deusa Selket no santuário canópico do túmulo de Tutancâmon (c.1370-1352 AEC) Novo Reino (madeira dourada). Cf. MEISTERDRUCKE. Selket. Disponpível em: <encurtador.com.br/gnrzS>. Acesso em 31 out. 2021.

A imagem mais famosa de Serket é, no entanto, a figura dourada que forma uma das quatro deusas protegendo Tutancâmon, que foi encontrada em sua tumba: como protetora dos mortos, Serket também está representada em um dos quatro cantos do sarcófago de pedra do famoso faraó.

Seshat
(Sashet, Sesheta)

Seshat, que significa "escriba", era a deusa da escrita, dos registros históricos, da contabilidade e da matemática, da medição e da arquitetura para os antigos egípcios. Ela era a escriba do faraó, e seria a responsável por registrar todas as suas realizações e triunfos, os saques e os escravos de guerra que conquistavam nas batalhas. Também se acreditava que ela registrasse as ações de todas as pessoas nas folhas da pérsea, uma árvore sagrada. Normalmente, ela aparece entalhando uma folha de palma para denotar o registro da passagem do tempo, especialmente para manter o controle do tempo de vida do faraó.

Seshat era conhecida pelo epíteto de "Senhora da Casa dos Livros" porque cuidava da biblioteca dos deuses e era a patrona de todas as bibliotecas terrenas. De acordo com um mito, Seshat teria inventado a escrita e seu consorte Thoth ensinara o povo a escrever. Era uma deusa lunar e estava, portanto, ligada à astronomia. A Lua permitia que os antigos medissem o tempo sem o sol e as suas fases eram de extrema importância para a sociedade egípcia antiga: os ciclos da lua eram fundamentais para a organização e o tempo de cerimônias, rituais e eventos civis e religiosos.

O hieróglifo dos chifres invertidos trazido acima da cabeça de Seshat é associado a deusa e representa a lua após ter completado o período de trinta dias. O significado do símbolo da estrela de sete pontas permanece relativamente desconhecido até hoje, mas alguns pesquisadores acreditam que esteja relacionado à astronomia, representando o Sol e a Lua, com os cinco planetas que são visíveis a olho nu: Vênus, Saturno, Júpiter, Marte e Mercúrio.

Os antigos egípcios acreditavam que era possível adquirir o poder do inimigo derrotado se vestissem sua pele. Assim, usar a pele de leopardo não se tratava de algo meramente funcional ou estético, mas significava transferir o poder do animal para ela, tornando-a uma deusa forte, feroz e capaz de proteger todos dos predadores maléficos.

Seshat era também reverenciada como a deusa dos arquitetos sob o epíteto de "Senhora dos Construtores". Quando novos templos e outras novas estruturas importantes deviam ser construídos, era frequente ter a presença de Seshat encenada por alguma sacerdotisa. A cerimônia era conhecida como *Pedjeshes*, ou o ritual de "esticar o cordão" durante o qual o faraó e uma alta sacerdotisa que personificava Seshat faziam o culto.

Uma estaca e uma corda eram usadas para marcar a posição do eixo do futuro templo. O Faraó alinhava o local com a Ursa Maior, que era aparentemente vista através da viseira formada pelo cocar de Seshat. Uma descrição da cerimônia de "esticar o cordão" está inscrita nas paredes do templo de Hórus em Edfu (c. 237 AEC):

> *Agarrei a estaca e a alça da marreta. Pego a corda de medição na companhia de Seshat. Observo o movimento progressivo das estrelas. Meus olhos agora estão fixos em Meskhetiu (asterismo de sete estrelas da "Ursa Maior"). O deus da cronometragem está ao meu lado, na frente de seu Merkhet. Então, eu estabeleci os quatro cantos do templo.*[48]

É interessante notar que ela é a única personagem feminina realmente envolvida com a escrita: várias outras mulheres foram retratadas segurando a paleta e o pincel do escriba, indicando que elas *sabiam* escrever, mas não estavam realmente envolvidas com o ato em si.

---

48 MATEMÁTICA PARA FILÓSOFOS. *Seshat, A Senhora da Escrita*. Disponível em: <https://www.matematicaparafilosofos.pt/seshat-a-senhora-da-escrita/>. Acesso em: 31 out. 2021.

Set
(Seth e Suetekh)

Set era o deus egípcio da guerra, do caos e das tempestades e um dos primeiros cinco deuses criados pela união de Geb (Terra) e Nut (céu) após a criação do mundo. Ele era considerado muito forte, mas também muito perigoso e estranho. Curiosamente, seu glifo aparece até nas palavras egípcias para "turbulência", "confusão", "doença", "tempestade" e "raiva".

Set era um deus dos fenômenos meteorológicos tidos como estranhos e assustadores, como eclipses, tempestades e terremotos. Ele também representava o deserto e, por extensão, as terras estrangeiras que ficavam além do deserto.

Ao que algumas fontes indicam, até o Terceiro Período Intermediário, Set era entendido como uma figura ambivalente. Ele era amigo dos mortos, ajudava-os a subir ao céu em sua escada, protegia os oásis do deserto que davam vida, e às vezes era um poderoso aliado do faraó e até mesmo do deus sol Rá. Entretanto, de acordo com os Textos das Pirâmides, mesmo quando criança, já era perigoso e imprevisível. Ele teria, por exemplo, se arrancado violentamente do ventre de sua mãe em vez de nascer normalmente como seus irmãos. Ele também matara seu irmão Osíris na tentativa de se tornar o governante do Egito, no entanto, o filho de Osíris e Ísis, Hórus, o derrotou em combate. Set foi então adotado pelo deus do sol Rá, tornou-se o trovão no céu e passou a proteger o deus-sol da serpente do caos, Apófis, durante a viagem noturna do sol pelo mundo subterrâneo.

Com o passar do tempo, Set foi perdendo sua ambivalência e passou a ser entendido mais como um deus unicamente do caos, alguém em constante conflito com a luz. A egiptóloga Caroline Seawright comenta:

> (Mas) em algum lugar ao longo da história, a visão sobre Set mudou. Ele se tornou um deus do mal, em eterno conflito com os deuses da luz e, especialmente, com Hórus, filho de Osíris. Set passou a ser associado a seu antigo inimigo, a serpente Apep. Na XXVI Dinastia, Set era o principal antagonista e personificação do mal para os egípcios. O motivo dessa mudança é desconhecido, mas acredita-se que algum tempo após a unificação do Egito, a religião de Set caiu em desgraça com a religião oficial, a adoração de Rá e Osíris. Pode ser que tenha havido uma rebelião aberta contra o faraó Narmer (Menes) que unificou o Egito sob seu governo, a rebelião falhou e suas crenças foram efetivamente anuladas. Os vencedores são conhecidos por reescrever a história, pode ser que também reescrevam a religião. É uma ideia interessante pensar que a luta pelo controle do Egito pode ter encontrado seu caminho para suas crenças centrais. [49]

A maioria das divindades egípcias estava associada a um animal em específico, mas não era o caso de Set. Em vez disso, ele era representado por uma mescla de partes de animais diferentes, como uma besta quimérica e mítica, referida normalmente pelo nome de *Sha*, ou Animal de Set.

Trata-se de um animal de orelhas longas e quadradas e um focinho longo e voltado para baixo, um corpo parecido

---

[49] SEAWRIGHT, C. *Egypt: The Gods of Ancient Egypt - Set (seth, setekh, sut, sutekh, suty)*. Tour Egypt. Disponível em: <http://www.touregypt.net/godsofegypt/set.htm>. Acesso em: 15 nov. 2021.

com um canídeo com uma cauda bifurcada e ereta. Ele pode ter sido um animal composto a partir de um porco-da-terra e um canídeo (talvez o salawa, um criptídeo, ou seja, uma criatura da criptozoologia cuja existência é sugerida, mas não comprovada) ou mesmo um camelo ou um ocapi.

Como muitos deuses egípcios, Set era capaz de mudar de forma. Ele podia se transformar em um boi, um hipopótamo, um touro, um crocodilo, uma pantera, ou até mesmo assumir a forma de Anúbis. Ele podia ser retratado também como um homem com a cabeça desse animal, ou como um homem de cabelos e olhos vermelhos, pois os egípcios associavam essa cor ao mal.

Como Seth estava relacionado à cor vermelha, acreditava-se que os animais e até mesmo as pessoas que tivessem o cabelo dessa cor fossem seus seguidores. Como consequência disso, os animais eram às vezes sacrificados, enquanto os ruivos, que costumavam ser estrangeiros, eram entendidos como seus servos. O professor Joshua J. Mark faz um paralelo interessante entre Set e a figura do diabo como existe no cristianismo:

> *Como muitos aspectos do mito de Osíris, Set foi incorporado na mitologia primitiva do Cristianismo como o diabo (a serpente Apófis também foi sugerida como algo que tenha contribuído para o desenvolvimento desta figura). A relação de Set com a escuridão e a maldade, assim como a cor vermelha e a imagem popular dele como uma besta de cabelos vermelhos, tudo se inclina para a iconografia do Satanás cristão. Como Satanás, ele trouxe o fim do paraíso e foi expulso da terra dos deuses por se rebelar contra o governo harmonioso.*

> *Sua associação com o engano, com a astúcia, com a guerra, com a destruição e a estreita ligação com a serpente também funcionaram bem na formação do conceito cristão do grande enganador sobrenatural dos seres humanos, que jurou eterna inimizade com Deus.[50]*

No relacionamento com povos estrangeiros, Set também era um deus do comércio ultramarino de óleos, madeira e metais, do mar e das rotas desérticas. Esta conexão com o deserto provavelmente simbolizava o calor destrutivo do sol da tarde e a infertilidade. Assim, imaginava-se que Set fosse infértil. Ele não tinha filhos, apesar de ser casado com a deusa do parto e uma deusa da fertilidade cananeia, Astarte, assim como Néftis e Neith.

Trapaceiro, Set se opunha ao conceito egípcio de *Ma'at*, ou ordem divina. Set não era simplesmente uma força de desordem, mas era um deus que gostava de causar a desordem. É fácil entender, portanto, o motivo pelo qual ele frequentemente era associado a tempestades de areia, redemoinhos e enchentes.

Durante o Império Antigo e o Império Médio, Hórus, o velho, e Set eram frequentemente representados juntos, simbolizando o Alto e o Baixo Egito. Hórus representava o céu durante o dia, enquanto Set representava o céu noturno. Quando esses dois deuses estavam ligados, os dois eram chamados de Hórus-Set, um homem com duas cabeças — uma do falcão de Hórus, a outra do animal de Set.

Acreditava-se que os dois lutariam incansavelmente, mas nenhum deles poderia vencer: eles continuariam a lutar até o fim dos tempos, quando Ma'at seria destruída e as águas

---

50 MARK, J. *Set (Egyptian God)*. World History. Disponível em: <https://www.worldhistory.org/Set_(Egyptian_God)/>. Acesso em: 15 nov. 2021.

de Nun (caos) tomassem conta de tudo. No entanto, uma vez que Set passou a ser entendido como uma entidade do mal, a história mudou e Hórus passou a vencer a batalha. Portanto, neste caso, o bem teria triunfado sobre o mal.

Os gregos associavam Set ao monstro Tifão, filho da Terra e do Tártaro (o lugar da tortura no Hades). Ambos eram deuses da tempestade associados à cor vermelha e aos porcos (cuja carne era considerada impura por muitas culturas, inclusive pelos egípcios). Porém, havia uma coisa que o diferenciava muito de Tifão: os egípcios entendiam seu lugar no mundo, o motivo pelo qual ele precisava existir. Ele era perigoso e imprevisível, mas poderia ser um amigo poderoso. Sem caos e confusão, não haveria ordem; sem as tempestades pesadas e estrondosas, não haveria bom tempo; sem o deserto e as terras estrangeiras não haveria Egito. Set era um contrapeso para o que era entendido como "bom" pelos egípcios, ajudando, assim, a manter o princípio do equilíbrio de Ma'at.

Shai
(Shay, Schai, Schay)

"Não dedique seu coração a buscar riquezas, pois não há ninguém que possa ignorar Shai, Não dedique seus pensamentos a assuntos externos: para cada homem há o seu tempo determinado."[51]

Instruções de Amenemope, o escriba

---

51 HILL, J. *Shai*. Ancient Egypt Online. Disponível em: <https://ancientegyptonline.co.uk/shai/>. Acesso em: 15 nov. 2021.

Shai era o antigo deus egípcio do destino. Ele era tanto uma personificação desses conceitos quanto uma divindade: os egípcios acreditavam que ele "nascera" com cada indivíduo, mas também era um deus. Os egípcios acreditavam que Shai determinava a duração da vida de cada pessoa.

Cada indivíduo nasceria junto a um "Shai", que permaneceria ao seu lado até que enfrentassem seu julgamento final diante de Osíris no submundo. Trata-se de uma divindade ambivalente que podia proteger ou condenar uma pessoa ao oferecer um relato verdadeiro de cada vida no Salão do Julgamento: relatava os eventos que aconteceram na vida do falecido durante pesagem do coração para determinar o destino eterno daquela alma.

Foi frequentemente associado aos antigos deuses egípcios do destino, como Renenutet, a deusa cobra da boa fortuna, destino e da felicidade, e Meskhenet, a deusa do parto e do destino. Como Renenutet, ele estava conectado com a determinação do tempo de vida concedido a um ser humano e também era responsável por ajudar o deus Thoth, o escriba do submundo, que escrevia os resultados do julgamento de cada alma.

Shai não era muito retratado na arte egípcia, mas, quando era, geralmente estava em sua forma de homem. Ele era descrito como o marido de Renenutet, a deusa do destino que dava a cada pessoa seu nome secreto no nascimento, ou Meskhenet, uma deusa do parto. Os três são frequentemente retratados juntos e às vezes aparecem com Shepset, uma deusa hipopótamo do parto. Com menos frequência, ele era representado como uma cobra ou um homem com cabeça de cobra ou como um tijolo de nascimento com cabeça humana.

Os gregos associavam Shai ao deus da adivinhação Agatodaemon e frequentemente o retratavam como um porco com cabeça de serpente porque "Shai" também significava "porco" e Agathodaemon era um deus serpente. Embora houvesse um culto específico dedicado a Shai, nenhum templo especificamente a ele foi encontrado até hoje.

Shu

"Eu sou Shu. Eu retiro o ar da presença do deus-luz, dos limites extremos do céu, dos limites extremos da Terra, dos limites extremos do pinhão do pássaro Nebeh. Que o ar seja dado a este jovem bebê divino. [Minha boca está aberta, eu vejo com meus olhos.]"[52]
– O capítulo de dar ar em Khert-Neter (*Livro dos Mortos*)

Shu era o deus egípcio dos ventos secos, da atmosfera e conhecido como o aquele que segurava os céus. Shu era um dos deuses mais relevantes para a sociedade egípcia antiga: era um deus relacionado à vida, permitindo que a vida florescesse no Egito com seu sopro. Era a ponte entre a vida e a morte, tanto um protetor quanto aquele que castiga; era a divisão entre o dia e a noite, entre o submundo e o mundo dos vivos. Na concepção dos egípcios, se não houvesse Shu, não haveria vida.

---

52 LIVRO EGÍPCIO DOS MORTOS. *O capítulo de dar ar em Khert-Neter*. Traduzido por E.A. Wallis Budge. Disponível em: <http://www.historia.seed.pr.gov.br/arquivos/File/fontes%20historicas/livro_egipcio_dos_mortos.pdf>. Acesso em 15. nov. 2021.

Estamos falando de um dos deuses da Enéade de Heliópolis, e o primeiro a ser deus por criação de Atom, que conjurou Shu de sua própria saliva. Ele era marido e irmão de Tefnut (umidade) e pai de Nut (céu) e Geb (Terra).

Shu era, antes de tudo, uma divindade protetora: em alguns mitos, protegia o deus Sol da cobra Apófis enquanto ele viajava pelo mundo subterrâneo ou pelo céu noturno, e trazia o sol à vida todas as manhãs. Embora estivesse intimamente ligado ao deus do sol, Rá (ou Atom) e incorporasse a luz, não era estritamente uma divindade solar.

Como acontecia com muitas divindades protetoras, Shu também tinha um lado mais sombrio e estava presente na cerimônia de julgamento de cada alma morta nos Salões de Ma'at. Na verdade, não só ele estava presente como por vezes liderava os terríveis demônios que puniam as almas consideradas corruptas.

Ele era especialmente reverenciado pelos marinheiros. Por ser um deus do vento, as pessoas frequentemente o invocavam para que providenciasse bom vento às velas dos barcos. Ele era a personificação dos ventos frios do norte e o sopro da vida — o princípio vital de todas as coisas vivas — e seus ossos eram considerados as próprias nuvens. Também se acreditava que era responsabilidade dele sustentar uma escada gigante para que os espíritos dos mortos pudessem subir aos céus.

As representações deste deus podem ser encontradas em diversas situações, como em tumbas, templos, manuscritos, hieróglifos, artefatos e relíquias do Antigo Egito. Como muitos de seus deuses, Shu também era representado como "híbrido humano", ou seja, com corpo humano e cabeça de animal. Ele era geralmente descrito como um homem usando uma coroa feita de penas de avestruz. Como alternativa, ele usava uma coroa de uma única pena de avestruz (como a de Ma'at) que representava o sopro da vida. Em outras situações, ele usava um disco solar na cabeça devido à sua conexão com o deus Sol.

Shu é frequentemente representado segurando o *ankh*, a chave da vida, que representava a vida eterna e o cetro "era", um longo bastão, coberto com uma cabeça de animal simbólica, que acreditavam ser capaz de incorporar poderes mágicos, simbolizando o poder divino e um emblema de autoridade.

Ele é comumente mostrado em pé sobre o corpo de Geb com os braços levantados para apoiar Nut. Com menos frequência, ele recebe as partes inferiores de um leão e o corpo e a cabeça de um homem.

Sia

Sia é o deus que representa a "personificação da mente" e a "deificação da sabedoria" e nasceu de uma gota do sangue de Rá, o antigo deus sol egípcio. Sia estava intimamente associado a Hu, a personificação de um enunciado que é respaldado pela verdade e pela autoridade, e os dois costumam aparecer juntos em textos sobre o submundo.

Nas paredes e tetos das tumbas do Vale dos Reis, Sia viaja no barco do deus sol. Ele era o porta-voz do deus sol nos Livros do Céu e o arauto que fica na proa da casca solar no Livro dos Portões.

Nem Sia nem Hu eram adorados como divindades independentes, mas os dois são frequentemente mencionados em textos relativos à religião e à filosofia egípcia. Ao que parece, Sia é equiparado às energias intelectuais do coração de Ptá na teologia de Mênfis, resultando no comando criativo da língua de Ptá.

Sobek
(Sebek, Sebek-Ra, Sobk, Suchos, Sobki, and Soknopais)

"Eu sou Sobek, que mora em meio a seus terrores. Eu sou Sobek e agarro [minha presa] como uma fera voraz. Eu sou o grande Peixe que está em Kamui."[53]

O Livro dos Mortos,
O Capítulo da Transformação no Deus Crocodilo (Sobek)

Sobek era um deus crocodilo da força e do poder, patrono do exército egípcio e dos guerreiros reais. Ele era também um deus do Nilo (que se acreditava ter sido criado de seu suor), da fertilidade, do renascimento, e um símbolo da força do faraó.

Apesar das diferentes atitudes das pessoas para com o deus, ele era venerado como aquele que restaurava a visão dos mortos, que revivia seus sentidos e os protegia de Set. Por causa de sua ferocidade, ele era considerado o patrono do exército. Ele também daria ao faraó força e coragem para que ele superasse todos os obstáculos, protegendo-o de todo mal, especialmente da magia maligna.

---

53 The Papyrus of Ani: The Egyptian Book of the Dead. [*The Chapter Of*] *Making the Transformation into the Crocodile-God*. Disponível em: <http://oaks.nvg.org/ani-papyrus.html>. Acesso em: 21 nov. 2021.

O crocodilo do Nilo é um dos maiores da África e pode chegar a 6 metros de comprimento e pesar até 730 kg. Era um animal muito temido, que matava e mutilava muitas pessoas nas margens do rio. Como as águas do Nilo estavam cheias dessas criaturas, era muito comum e uma questão de bom senso tentar acalmá-los por meio da adoração de seu líder, Sobek. A lenda conta que Sobek era uma divindade quádrupla. Ele representava os quatro deuses elementais: Rá do fogo, Shu do ar, Geb da terra e Osíris da água.

De acordo com um dos muitos mitos da criação do Antigo Egito, Sobek era o filho de Set, o deus da guerra e da hostilidade, e de Neith, a deusa guerreira da caça e da guerra. Algumas seitas acreditavam que Sobek era o criador do mundo, que surgira da "Água Negra" para criar ordem no universo. Sobek botava ovos nas margens das águas de Nun, criando assim o mundo. No entanto, além de ser uma força para a criação, ele era visto como uma divindade imprevisível que às vezes se aliava às forças do Caos. Parece provável que Sobek fosse inicialmente um deus das trevas que precisava ser apaziguado, mas suas qualidades protetoras e sua força passaram a ser valorizadas quando eram usadas na defesa do faraó e do povo e, assim, começou a ser entendido de uma forma um pouco diferente.

O crocodilo

A força e a velocidade do crocodilo eram consideradas símbolos do poder do faraó, e a palavra "soberano" era escrita com o hieróglifo de um crocodilo. Durante a XII e a XIII Dinastias, o culto de Sobek recebeu destaque particular e vários governantes o incorporaram em seus nomes de coroação, incluindo a primeira mulher faraó totalmente atestada: Sobekneferu.

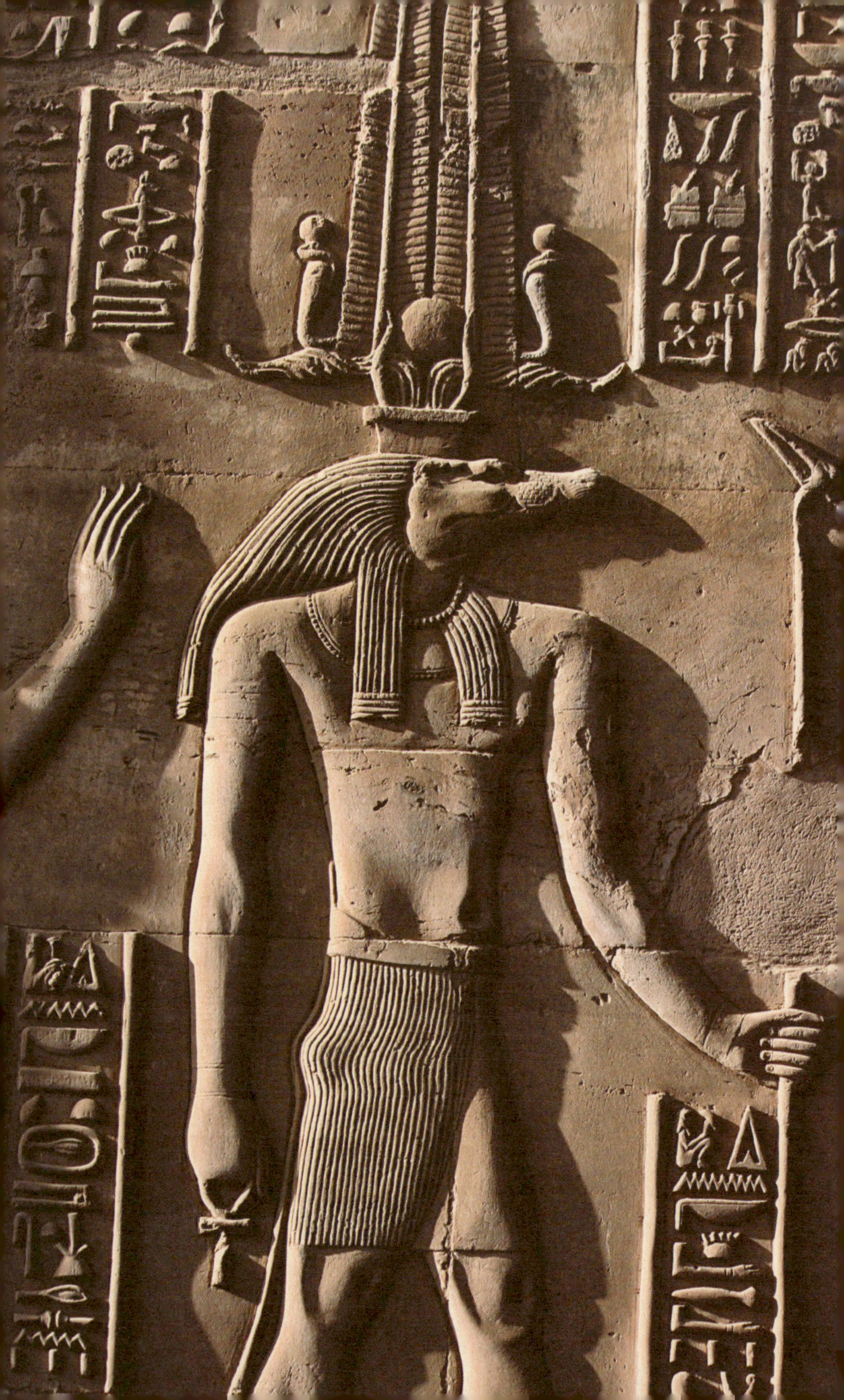

Em algumas áreas, mantinham-se crocodilos em piscinas e templos, onde eles eram adorados como a personificação terrena do próprio Sobek. Enquanto em outros lugares os crocodilos eram insultados, caçados e mortos, os egípcios ornamentavam os animais com joias em homenagem ao seu amado deus.

Muitos crocodilos mumificados — de todas as idades — foram encontrados em tumbas do Egito. Os animais mortos eram mumificados com o uso de natrão ou sal e depois eram embrulhados em tiras de pano, procedimento parecido com o que era feito com os humanos na época.

Sobek normalmente é representado na forma de um crocodilo, de um homem com cabeça de crocodilo ou um crocodilo mumificado. Ele às vezes aparece usando uma coroa emplumada com um disco solar com chifres ou a coroa *atef* como a de Amon-Rá e, em suas mãos, carregava um cetro e o *ankh*.

Sokar
(Seker, Sokaris, Socharis)

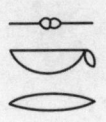

Sokar era um antigo deus-falcão dos arredores de Mênfis. Ao que tudo indica, inicialmente, tratava-se de uma divindade associada ao artesanato, mas que, com o tempo, ganhou uma importância considerável como divindade ctônica e da vida após a morte. Ele era o patrono da antiga necrópole de Mênfis, no Baixo Egito, onde as pirâmides de Saqqara estão situadas. Seu título era "senhor da região misteriosa"

e, como tal, ele é proeminente na decoração dos túmulos reais de Tebas.

Sokar era inicialmente adorado como um totem e depois como um deus-falcão. Durante o Império Antigo, ele era representado sentado em seu trono segurando o cetro *was* e o *ankh*, que simbolizam o poder e a vida, respectivamente. Já no Império Novo, ele passa a ser descrito como uma múmia com cabeça de falcão, usando um disco solar, chifres de vaca e as cobras reais (semelhantes à coroa *atef*), embora em certas situações ele use a Coroa Branca.

Os emblemas de Sokar incluem sua barca *henu* (*hnw*), cebolas e gansos. Sua barca representa triunfos solares e está montada em uma espécie de trenó. Há a cabeça de um antílope ou de um touro na proa, falcões ou andorinhas ao longo do casco e, no centro, uma capela em forma de monte encimada por sua cabeça de falcão.

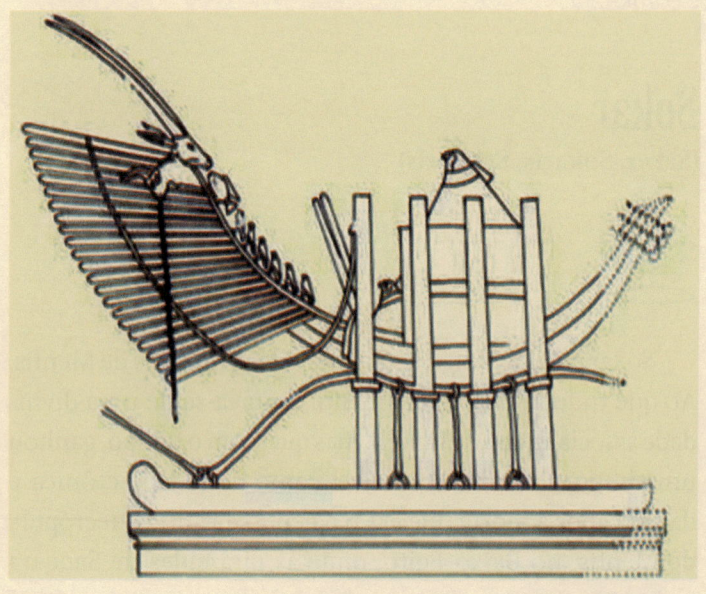

A barca de Sokar

Ptá-Sokar-Osíris, período ptolomaico,
Metropolitam Museum of Art.

Sokar é uma divindade mencionada com frequência nos Textos das Pirâmides, o que nos leva a crer que, inicialmente, se tratava de uma divindade individual. Entretanto, em certo momento no Império Médio, Sokar passou a ser fundido com Ptá, formando a divindade composta Ptá-Sokar. Como Ptá era considerado o patrono dos artesãos, Sokar tornou-se especificamente o patrono dos ourives. Gradualmente, Ptá-Sokar fundiu-se com Osíris para criar outra nova divindade chamada Ptá-Sokar-Osíris. Ptá e Sokar passaram então a ser representados em uma forma semelhante a Osíris: como uma múmia, o símbolo do renascimento e regeneração.

Mênfis era o principal centro de culto de Sokar e seu festival era realizado no dia 26 do 4º mês de *akhet* (semeadura). A terra era capinada, o gado conduzido e uma enorme estátua do deus era carregada em uma barca de *Henu* (um barco com uma proa alta em forma de órix com chifres um símbolo funerário no peito), o que talvez aponte alguma relação do deus com a agricultura. No Império Novo, o festival se expandiu para Tebas, onde virou páreo para grandes festivais como o Festival de Opet.

Ptá-Sokar-Osíris permaneceu uma importante divindade funerária durante a maior parte do restante da história dinástica do Egito.

Sopdet (Sothis)

Divindade estelar que representava Sirius, a Estrela Canina. A associação entre Sothis e Sirius, a estrela canina, era extremamente importante para os astrônomos egípcios antigos: após desaparecer de vista por setenta dias, reaparecia, sinalizando a aproximação da inundação do Nilo e o início de um novo ano. Esse ano novo era celebrado com um festival conhecido como "A Vinda de Sopdet".

Na verdade, o evento apenas coincidia com o ano solar uma vez a cada 1460 anos. O imperador romano Antonino Pio mandou fazer uma moeda comemorativa para marcar sua coincidência em 139 EC.

Apesar de ser originalmente uma divindade agrícola relacionada ao rio Nilo, durante o Império Médio, Sopdet passou a ser cada vez mais relacionada a Ísis, até que passou a ser considerada uma deusa-mãe. Provavelmente, essa conexão ganhou força dado o papel de Sopdet em ajudar o faraó a encontrar seu caminho para as estrelas imperecíveis. Alguns egiptólogos questionam se seria coincidência que Sirius desaparecesse por setenta dias todos os anos, e a mumificação levasse setenta dias também.

Inicialmente, a deusa era representada na forma de uma vaca, mas a representação mais comum se tornou a de uma mulher usando a coroa branca do Alto Egito encimada por uma estrela ou uma coroa com duas plumas.

No período ptolomaico e romano, a noção ocidental da "estrela canina" fez com que ela às vezes fosse representada como um cachorro grande ou como uma mulher montada na sela de um. Ocasionalmente, a deusa era retratada como uma divindade masculina e chegou a ser associada a Hórus, como um dos deuses que sustentavam os quatro cantos da Terra e mantinham Nut (o céu) no lugar.

No Reino Médio, Sopdet às vezes aparecia junto a Hator, ajudando a sustentar parte de Nut (o céu). Durante o período grego, ela foi ligada a Anúbis como Sopdet-Anúbis, possivelmente por causa de suas associações caninas.

Taweret
(Taueret, Taurt, Toeris, Ipy, Ipet, Apet, Opet, Reret)

Taweret era uma antiga deusa egípcia da maternidade e do parto, conhecida como protetora das mulheres e das crianças. Como Bes, ela também era uma divindade popular que protegia a mãe e seu filho recém-nascido. Seu nome significa literalmente "A Grande Fêmea", mas também era conhecida como "Ipet" ("harém") e "Reret" ("a porca") e seus epítetos mais comuns eram "Senhora do Céu", "Senhora do Horizonte", "Aquela que Remove a Água", "Senhora da Água Pura" e "Senhora da Casa de Parto".

Inicialmente, Taweret era vista como uma força potencialmente maligna e estava associada ao céu do norte, representando as estrelas circumpolares da Ursa Menor e Draco. Como o céu do norte era considerado frio e escuro — além de estar associado a Apófis e Set — ela também era entendida como uma criatura perigosa. Progressivamente, no entanto, Taweret foi perdendo sua reputação de ser uma criatura maligna e passou a ser entendida como uma força protetora, tornando-se uma deusa-mãe e padroeira do parto.

Taweret era representada como a combinação de um crocodilo, um hipopótamo e um leão. No entanto, ao contrário do demônio composto Ammit, que era formado pelos mesmos animais, ela tinha as patas de um leão, as costas de um crocodilo e a cabeça e o corpo de um hipopótamo, mas também tinha cabelo de mulher. Essa diferença deve ser levada em consideração: Ammit, diferentemente de Taweret, não tem o componente humano. Isso pode ser uma característica significativa para que os diferenciemos, Taweret era uma deusa e não um monstro.

Normalmente, aparece com uma coroa cilíndrica curta encimada por duas plumas ou chifres e o disco solar de Hator, carregando o *ankh*. Às vezes, Taweret era retratada com um crocodilo nas costas, talvez uma representação de Sobek.

A deusa tem o abdômen inchado, o que faz que muitos estudiosos sugiram que ela esteja grávida, e que isso aumentaria seu simbolismo por ser a defensora da gravidez, porém há a possibilidade de se tratar apenas de uma representação da possibilidade de fertilidade — não apenas das mulheres, mas também do Egito.

Acreditava-se que suas características predatórias — extraídas de hipopótamos, leoas e crocodilos do Nilo — instigavam o medo em forças malévolas e as afastavam. Por essa razão, pensava-se que amuletos com sua semelhança ajudavam a prevenir doenças infantis e a morte e, desse modo, sua imagem aparecia em muitos instrumentos usados por parteiras para auxiliar a execução do parto.

Quase todas as casas, especialmente aquelas com crianças pequenas ou alguma grávida, tinham um amuleto ou estatueta com sua imagem. Sua representação também pode ser encontrada em ferramentas cosméticas femininas, apoios de cabeça e joias.

Taweret era associada à chamada "varinha mágica" ou "facas mágicas" usadas durante o trabalho de parto para afastar o mal. Essas ferramentas mágicas geralmente eram feitas de marfim de hipopótamo e incluíam representações da deusa. Não era incomum algum sacerdote desenhar um círculo na areia ao redor de uma mulher em trabalho de parto ou de uma criança dormindo com uma varinha de marfim feita de presa de hipopótamo para trazer-lhe proteção.

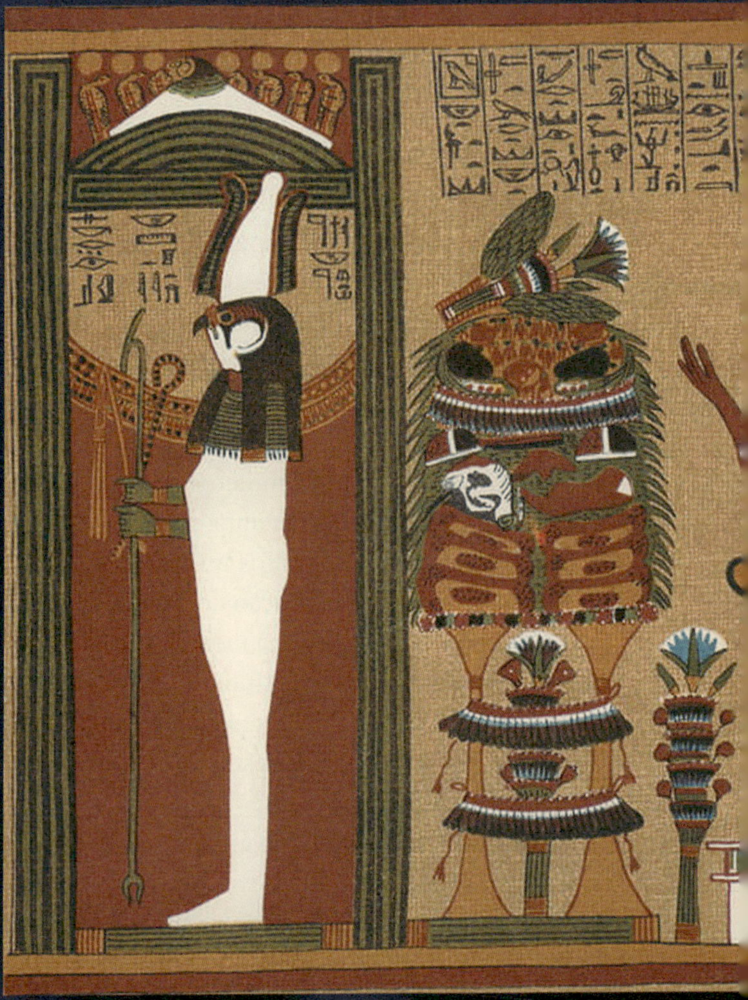

Taweret no Livro dos Mortos: Vinhetas de encerramento (para feitiços 185 e 186) do Papiro de Ani.

A escolha do animal para representar Taweret não foi aleatória. Os antigos egípcios tinham uma relação ambivalente com os hipopótamos: embora fossem admirados, também eram temidos como criaturas extremamente perigosas.

Os hipopótamos são, de fato, animais imprevisíveis que podem se tornar muito agressivos quando se sentem ameaçados. Eles são herbívoros e geralmente pastam durante a noite, quando podem dizimar o campo de um fazendeiro com seu enorme apetite. Além disso, podem atingir uma velocidade de 50 km/h, alcançando humanos em uma curta distância e podendo, em alguns casos, atacá-los. Aparentemente, os antigos egípcios eram atacados por hipopótamos com alguma frequência, mas evidências de receitas médicas egípcias antigas para feridas infligidas por mordidas de hipopótamos mostram que as pessoas provavelmente também costumavam sobreviver.

Nas sociedades antigas, esse ato de caçar e matar um animal tão perigoso era um sinal de coragem, força e poder. Os faraós gostavam de provar seu poder supremo e achavam que caçando hipopótamos, que era um dos animais mais temíveis de sua terra, estariam se tornando ainda mais poderosos. Eles então andavam pelas terras úmidas do Nilo com assistentes que arpoariam os animais repetidamente até que um hipopótamo abrisse sua boca para revelar suas presas — e sua área mais vulnerável.

Entretanto, como dissemos, os antigos egípcios também admiravam os hipopótamos, apesar de temê-los. Os hipopótamos viviam no rio Nilo e, por isso, também eram associados à fertilidade e à vida. Eles têm a capacidade de submergir na água por vários minutos, subir à superfície para respirar e depois afundar novamente e esse comportamento de desaparecer e reaparecer foi rapidamente associado pelos egípcios ao processo de regeneração e ao renascimento.

Os antigos egípcios também observavam que os hipopótamos fêmeas protegiam ferozmente seus filhotes. A combinação do aspecto perigoso com o protetor ajuda a entender o motivo pelo qual Taweret, uma deusa que protege mães e filhos, foi representada desta forma e não de outra.

Por certo tempo, houve até mesmo várias divindades hipopótamos sobrepostas, como Ipet, Reret e Hedjet, que desempenharam papéis semelhantes aos de Taweret. Em um ponto da história, pode ser que se tratava de três variantes ou três deusas diferentes, mas logo todas se fundiram em Taweret.

Tayet
(Tayt, Tait, Taytet)

Tayet era uma antiga deusa egípcia da tecelagem e a patrona dos tecelões e de todos aqueles envolvidos no ritual de mumificação.

Na carta que o faraó Senuserete I envia a Sinuhe, um ex-oficial do harém, ele o convida a voltar ao Egito após uma longa estada no exterior, e assegura que, após a morte de Sinuhe, haverá uma noite de unguentos e "mumificação feitas pelas mãos de Tayet".

Bandagens de linho também eram usadas para curar feridas. Acreditava-se que Tayet pudesse proteger a pessoa ferida de uma hemorragia e garantir a limpeza da ferida, o que lhe associava à pureza e perfeição. Tayet era, inclusive, originalmente vista como a mãe espiritual do faraó e a protetora de seu corpo físico.

Durante o Império Antigo, ela era referenciada em feitiços e orações nos Textos das Pirâmides que tinham como objetivo proteger o cadáver do rei. Ela iria "juntar os ossos do rei, para que não se soltassem, e colocaria o amor do rei no corpo de cada Deus que o visse".

Tefnut
(Tefnet, Tefenet, Tphenis)

Tefnut era uma deusa lunar da água e da umidade, mas, dicotomicamente, era também uma deusa solar conectada à secura, à ausência de umidade.

As imagens e representações de Tefnut na arte egípcia antiga podem ser encontradas em tumbas, templos, manuscritos, hieróglifos, artefatos e relíquias do Antigo Egito. Tefnut era retratada com o corpo de uma mulher e a cabeça de uma leoa, mas, ocasionalmente, aparecia na forma de serpente ou totalmente antropomórfica. Em suas representações, ela sempre usava um disco solar e carregava com ela um cetro e o *ankh*.

Sua situação familiar pode ser um pouco complexa, como acontece com várias divindades egípcias. Ela era inicialmente associada a um deus chamado Tefen, e, de acordo com os Textos das Pirâmides, os dois tinham um papel importante na pesagem do coração dos falecidos em seu julgamento. Em Heliópolis e Tebas, ela era geralmente descrita como a filha do deus criador (Ámon, Atom ou Rá), a irmã-esposa de Shu e a mãe de Geb e Nut, às vezes aparecendo ajudando Shu a segurar Nut (o céu) acima de Geb (a terra). Já em Mênfis, ela também era conhecida como a "Língua de Ptá", que aparentemente o ajudara a criar vida.

Tjenenet
(Thenenet, Tjenenyet, Tenenet, Tanent)

Tjenenet era uma deusa da fertilidade, também relacionada à fabricação de cerveja. Ela é retratada como uma mulher usando o disco solar e o ureu (à maneira de Hator) ou o símbolo do útero de uma vaca, como Meskhenet. Tjenenet às vezes é considerada filha de Atom e Mut e, em outras ocasiões, mãe de Iunyt.

Além de sua natureza protetora em relação às mulheres grávidas, Tjenenet também é uma deusa relacionada à produção de cerveja. Na verdade, muitos acreditam que o próprio nome da deusa teria vindo de uma palavra que era usada no Antigo Egito para se referir à cerveja: "tenemu".

É interessante que a fabricação de cerveja era uma das muitas tarefas importantes das mulheres no Antigo Egito. As mulheres faziam o pão e, em seguida, costumavam assá-lo e depois fermentá-lo em potes com cevada. Assim, as mulheres conduziam todo o processo de fabricação da cerveja.

A ocorrência mais antiga de seu nome parece remontar à XII Dinastia. Tjenenet teve seu apogeu durante o período Ramesside do Novo Império, mas depois disso caiu em relativa obscuridade. O principal centro de culto de Tjenenet era Hermontis, localizado a cerca de 20 quilômetros ao sul de Tebas e onde está a moderna cidade de Armante.

Thoth

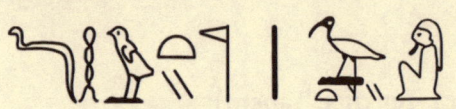

Thoth é o deus egípcio da escrita, da magia, da sabedoria e da lua. Ele era considerado o escriba dos deuses, associado pelos egípcios à fala, à literatura, às artes, e à aprendizagem. A consorte mais frequentemente associada a ele era Seshat, deusa da escrita, guardiã dos livros e deusa padroeira das bibliotecas e bibliotecários. Ela era, às vezes, considerada sua esposa; outras, sua filha. Thoth também era responsável por medir e registrar o tempo, assim como Seshat. Joshua J. Mark comenta como imaginavam que os textos fossem aceitos por Troth:

> Os escribas, naturalmente, reivindicaram Thoth como seu patrono e começaram a homenageá-lo todos os dias. Uma estátua da XVIII Dinastia mostra Thoth como um babuíno com o disco lunar em sua cabeça sentado acima de um escriba trabalhando em sua escrivaninha. O trabalho desses escribas era, esperançosamente, aprovado por Thoth, que então dava permissão a Seshat para abrigá-los em sua biblioteca imortal e protegê-los nas terrenas.[54]

---

54 MARK, J. WORLD HISTORY ENCYCLOPEDIA. *Thoth*. Disponível em: <https://www.worldhistory.org/Thoth/>. Acesso em: 16 nov. 2021.

A ideia de que um autor se tornasse imortal através da escrita parecia já ser algo comum no Egito Antigo. Através daquilo que escreviam, os escribas seriam lembrados após a sua morte, evitando cair em esquecimento. Além disso, através de sua escrita eles seriam conhecidos pelos deuses, pois Seshat também mantinha suas palavras nos livros celestiais. A partir dessa perspectiva, é possível imaginar que os escribas acreditassem que seriam bem recebidos após a morte no Salão da Verdade e passariam para o paraíso no Campo dos Juncos sem grandes problemas.

Existem vários mitos sobre como Thoth teria nascido. Entre outras coisas, acreditava-se que ele nascera dos lábios do Deus Rá ou da semente de Hórus na testa do deus Set. Como filho dessas duas divindades (que representam a ordem e o caos, respectivamente), ele também era o deus do equilíbrio.

Outros mitos sugerem que Thoth criou a si mesmo através do poder da linguagem. É possível fazer aqui um paralelo curioso com o Evangelho de São João, onde se diz "no princípio era a palavra, e a Palavra estava com Deus, e a Palavra era Deus".

Os egípcios antigos viam Thoth como um grande mágico que sabia tudo o que estava escondido sob a abóbada celestial. De acordo com os mitos, ele usou seu conhecimento em inúmeras situações para auxiliar outros deuses: por exemplo, ajudou Ísis após o assassinato de seu marido Osíris por seu irmão Set; criou o primeiro ritual de mumificação com a ajuda de Anúbis; ajudou a ressuscitar Osíris na terra dos Mortos; protegeu o filho de Ísis, Hórus, expulsando um veneno mágico de seu corpo quando ele era muito jovem e apoiou sua luta para ganhar o trono que era seu por direito.

Havia até uma lenda da existência de um suposto "Livro de Thoth", no qual o deus teria escrito todos os segredos do universo. Qualquer um que o lesse se tornaria o feiticeiro mais poderoso do mundo, mas seria amaldiçoado por seu conhecimento.

Thoth era retratado de várias maneiras, geralmente descrito como um homem com uma figura complexa. Normalmente, tinha a cabeça de um íbis ou a forma de um íbis completo; em outras variações, tinha a cabeça de um cachorro, o rosto de um babuíno e o corpo de um homem. Como o bico do íbis aparecia retratado em forma de meia-lua, o animal e, consecutivamente, o deus, eram relacionados à Lua. O babuíno com cabeça de cachorro, por outro lado, era um animal noturno que saudava o Sol com ruídos tagarelas todas as manhãs, assim como Thoth, o deus da Lua, saudava Rá, o deus do Sol, enquanto ele se levantava.

Ele aparece usando uma coroa de lua crescente, a coroa de *atef*, ou às vezes, a coroa do Alto e do Baixo Egito. Ele também era representado com uma variedade de símbolos: carregava o *ankh* em uma mão e, na outra, segurava um cetro, o símbolo do poder. No "Livro dos Mortos", ele aparece frequentemente segurando uma tábua de escrita e uma espécie de "caneta" de junco para registrar os feitos dos mortos. Como voz do deus-sol, Rá, ele carregava o *udjat*, ou Olho de Rá, o símbolo do poder onipresente de Rá.

Como mencionamos, Thoth também era o deus responsável por medir a passagem do tempo e, portanto, o deus do calendário egípcio. Muitos dos rituais religiosos e civis egípcios eram organizados de acordo com um calendário lunar, portanto é de fácil compreensão que Thoth, sendo um deus da escrita e da lua, também tenha sido associado à criação do calendário. Ele era conhecido pelos epítetos "Aquele que

Deus Thoth em mural de Abidos.

fez cálculos sobre os céus, as estrelas e a terra", "O calculador do tempo e das estações" e "Aquele que mediu os céus e planejou a terra".

Acreditava-se que Thoth fosse o inventor do calendário de 365 dias, que substituiu o calendário impreciso de 360 dias. Segundo o mito, ele ganhou os dias extras jogando com a Lua em um jogo de dados para ajudar a deusa Nut. Ela estava grávida de Geb, porém o deus Rá havia proibido que ela desse à luz em qualquer dia do calendário egípcio. Em uma das versões, Thoth, astuto, teria ganhado uma porção da luz da lua que equivalia a cinco novos dias, e Nut deu à luz seus cinco filhos nesses dias (Osíris; Hórus, o Antigo; Set; Ísis e Néftis).

Thoth era um deus do equilíbrio e da racionalidade, sendo relacionado muitas vezes a diversos ramos do conhecimento. Joshua J. Mark comenta:

> *Como creditaram Thoth com a criação de uma série de ramos do conhecimento (lei, magia, filosofia, religião, ciência e escrita), ele era considerado um juiz infalível, capaz de tomar decisões completamente justas. Os gregos o admiravam tanto que o creditaram como o criador de todo o conhecimento na Terra e nos céus. Ele era tão importante para os deuses, e especialmente para Rá, que foi o deus escolhido para resgatar a filha de Rá das terras distantes para as quais ela às vezes fugia.*[55]

Thoth aparece regularmente ao lado de Osíris e Anúbis no Salão da Verdade, tomando nota das contas da vida da alma em julgamento e registrando o resultado da pesagem do coração contra a pena de Ma'at. Isso ajudava, obviamente,

---

[55] MARK, J. WORLD HISTORY ENCYCLOPEDIA. *Thoth*. Disponível em: <https://www.worldhistory.org/Thoth/>. Acesso em: 16 nov. 2021.

Ilustração do templo de Thoth em Hermópolis.

em sua reputação como ser íntegro e justo, um exemplo de conduta para os humanos.

A Mansão de Thoth era o nome pelo qual era conhecido seu lar na vida após a morte. Trata-se de um lugar seguro para as almas descansarem e receberem feitiços para ajudá-las contra os demônios que as impediriam de chegar ao "paraíso".

O principal centro de adoração de Thoth era em Hermópolis, mas ele era amplamente venerado em todo o Egito. Seus sacerdotes eram escribas altamente educados e seu culto estava intimamente associado à classe dominante, mas sua adoração se estendia a todos.

Íbis e babuínos mumificados eram vendidos aos peregrinos que vinham ao festival como oferendas votivas aos deuses. Também foram encontrados vários amuletos de diferentes períodos dedicados a ele ao longo da história do Egito. Imagina-se que todos feitiços funerários fossem trabalhos de Thoth, inclusive que ele fosse o autor do Livro dos Mortos. Os gregos o associavam ao deus mensageiro Hermes. No diálogo *Fedro*, Platão insere um mito que atribui a Thoth a criação de várias ciências e artes, e especificamente da arte de escrever, a qual ele apresenta ao rei egípcio Tamuz, sublinhando a necessidade de propagar essa arte.

Wadjet
(Wadjyt, Wadjit, Uto, Uatchet, Edjo, Buto)

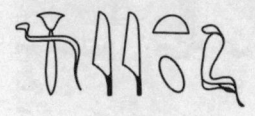

Wadjet é uma das deusas egípcias mais antigas. Em alguns mitos, Wadjet é retratada como a filha do deus do Sol, Rá. Ela também era considerada a esposa de Hapi, uma divindade do rio Nilo.

Ela era uma divindade tão poderosa que protegia e guiava os outros deuses, bem como a família real egípcia. Tipicamente, Wadjet é retratada no Baixo Egito como uma deusa serpente, provavelmente uma referência à sua força, poder e habilidade de golpear o inimigo. No entanto, o povo antigo da área norte adorava Wadjet como uma deusa abutre. Wadjet era reverenciada como a deusa do parto e protetora das crianças, e nos anos posteriores ela se tornou a protetora dos reis.

No final do período pré-dinástico, Wadjet aparecia representada perto de sua irmã Nekhbet. Conhecidas como "As duas Senhoras", as duas representavam o Baixo e Alto Egito, respectivamente, e sua combinação representava o país como um todo. As Duas Senhoras são um bom exemplo da dualidade egípcia: cada uma das terras tinha sua própria deusa padroeira, mas ambas estavam unidas, isto é, o rei governava ambas as partes do Egito. Wadjet era também a personificação do norte.

Coroação do rei Ptolemaios VIII pela deusa Nekhbet, à direita, e pela deusa Wadjet, à esquerda, relevo do Templo de Horus em Edfu.

Essa deusa é frequentemente descrita como uma divindade energética e até agressiva, enquanto sua irmã Nekhbet era considerada mais calma e protetora. No entanto, Wadjet também tinha seu lado mais gentil: acreditava-se que ela oferecesse proteção a todas as mulheres durante o parto, além de ter ajudado Ísis e Hórus a se esconderem de Set nos pântanos do Delta.

Ela se tornou uma deusa do calor e do fogo e isso aumentou seu papel como deusa protetora, pois, com tais poderes, ela podia usar não apenas seus venenos, mas também chamas contra os inimigos do faraó. Nos Textos das Pirâmides, sugere-se que Wadjet havia criado a primeira planta de papiro e o pântano primordial.

A deusa Wadjet vem até você na forma de Ureu vivo para ungir sua cabeça com as chamas dela. Ela se eleva no lado esquerdo de sua cabeça e brilha no lado direito de suas têmporas sem falar; ela sobe em sua cabeça a cada hora do dia, assim como ela faz por seu pai Rá, e através dela o terror que você inspira nos espíritos é aumentado... ela nunca lhe deixará.[56]

O Livro dos Mortos

Muitas divindades egípcias estavam associadas a horas, dias e meses específicos, e Wadjet não era diferente. Ela era associada à quinta hora do quinto dia do mês de "iput-hmt" (Epipi), o mês de colheita do calendário egípcio. Os festivais eram realizados em sua homenagem no 10º dia de "rh-wr" (Mekhir), que também era chamado de "o dia da

---

[56] UNED. *Los Amuletos egipcios: La diosa Wadjet*. Disponível em: <https://www2.uned.es/geo-1-historia-antigua-universal/egipto_magia_amuletos%205_Wadjet_cobra.htm>. Acesso em: 15 nov. 2021.

O adorno em forma de serpente Ureu, usado frequentemente nas coroas de deuses e faraós do Egito Antigo, é um símbolo de Wadjet.

saída da Deusa", o 7º dia de "khnty-khty" (Payni) e o 8º dia de "Wpt-rnpt" (Mesori). Estas duas últimas datas coincidem aproximadamente com os solstícios de inverno e primavera.

Wadjet era um emblema de orientação e proteção, que protegia os reis egípcios de seus inimigos. De deusa local de uma cidade pré-dinástica à deusa patrona do Baixo Egito, Wadjet se tornou um dos símbolos do Egito.

Weret-hekau
(Urthekau)

Weret-hekau é um conceito e também uma deusa independente. Weret-hekau era uma deusa com cabeça de leão, alternadamente descrita como uma cobra com cabeça de mulher. Nos Textos das Pirâmides, ela é especificamente associada ao divino ureu e à coroa do Baixo Egito.

Ela era conhecida como "Aquela que é rica em feitiços mágicos", o que levou alguns estudiosos a sugerirem que ela se tratasse de uma forma da deusa Ísis, e não uma divindade independente. Ela também é associada a Wadjet e Sekhmet e à história do "Olho de Rá" pelo fato de assumir a forma de um leão ou de uma cobra e proteger o deus Sol. Weret-hekau também estava associada ao rei, especialmente durante sua coroação.

Por ser um poderoso símbolo de proteção, seu nome, bem como seu símbolo de cobra, costuma aparecer em armas mágicas enterradas com os mortos com a intenção de ajudá-los a se protegerem no submundo. Seu nome também aparece em facas de marfim, objetos que provavelmente imaginavam ser capazes de proteger mulheres grávidas ou que estivessem amamentando.

Wepwawet
(Upuaut, Wep-wawet e Ophois)

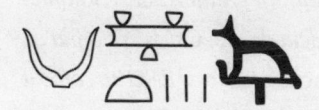

Wepwawet era um antigo deus chacal (embora frequentemente seja interpretado como um lobo) cuja adoração se originou no Alto Egito. Ele é frequentemente descrito como um chacal ou um homem com cabeça de chacal parado na proa de um barco solar. No entanto, ao contrário de Anúbis, ele costuma ser retratado com a cabeça cinza ou branca.

Wepwawet é o "Abridor de Caminhos", aquele que guia e lidera o exército para a batalha e abre o caminho para a vitória do faraó. Mais tarde, passou-se a acreditar que ele abria os céus e guiava o falecido para o submundo.

Como Anúbis e Osíris, Wepwawet também era uma divindade funerária e um dos primeiros deuses adorados em Abidos. Durante a XII Dinastia, entretanto, Osíris ficou limitado ao submundo e Wepwawet se tornou o deus local e senhor do cemitério de Abidos, ganhando os títulos de "Senhor de Abidos" e "Senhor da Necrópole".

Como era de costume, os laços de parentesco desse deus eram extremamente confusos, e relações eram feitas e desfeitas continuamente, variando de acordo com o mito e região.

Como comenta a egiptóloga Jenny Hill:

Suas relações com os outros deuses foram confundidas pela fusão e mudança de papéis ao longo da história egípcia. Wepwawet estava intimamente associado a Anúbis, que originalmente fazia parte da Ogdóade de Hermópolis, e passou a ser visto como seu filho. No entanto, ele também estava ligado ao deus Shu da Enéade de Heliópolis pelo epíteto "Aquele que separou o céu da terra".

Quando as duas teologias se fundiram e Anúbis abriu caminho para Osíris, desenvolveu-se a ideia de que Osíris era o pai de Anúbis (embora sua mãe geralmente não fosse descrita como a esposa de Osíris, Ísis, mas sim sua irmã Néftis). Para complicar ainda mais, Wepwawet às vezes era chamado de 'filho de Ísis' e identificado como Hórus (e, portanto, o faraó), embora Ísis também fosse vista como neta de Shu e madrasta de Anúbis, de acordo com a tradição heliopolita.[57]

Como Anúbis, Wepwawet também foi um dos primeiros deuses adorados em Abidos. Outros centros de culto incluíam Quban, el-Hargarsa, Mênfis e Sais e o décimo terceiro nomos antigo do Alto Egito, que os gregos chamavam de Lycopolis e onde se situa a moderna Asyut. A palavra "Lycopolis" pode ser traduzida como "Cidade do Lobo", e talvez seja esse o motivo da associação possivelmente errônea do deus aos lobos.

---

[57] HILL, J. *Wepwawet*. Ancient Egypt Online. Disponível em: <https://ancientegyptonline.co.uk/wepwawet/>. Acesso em: 15 nov. 2021.

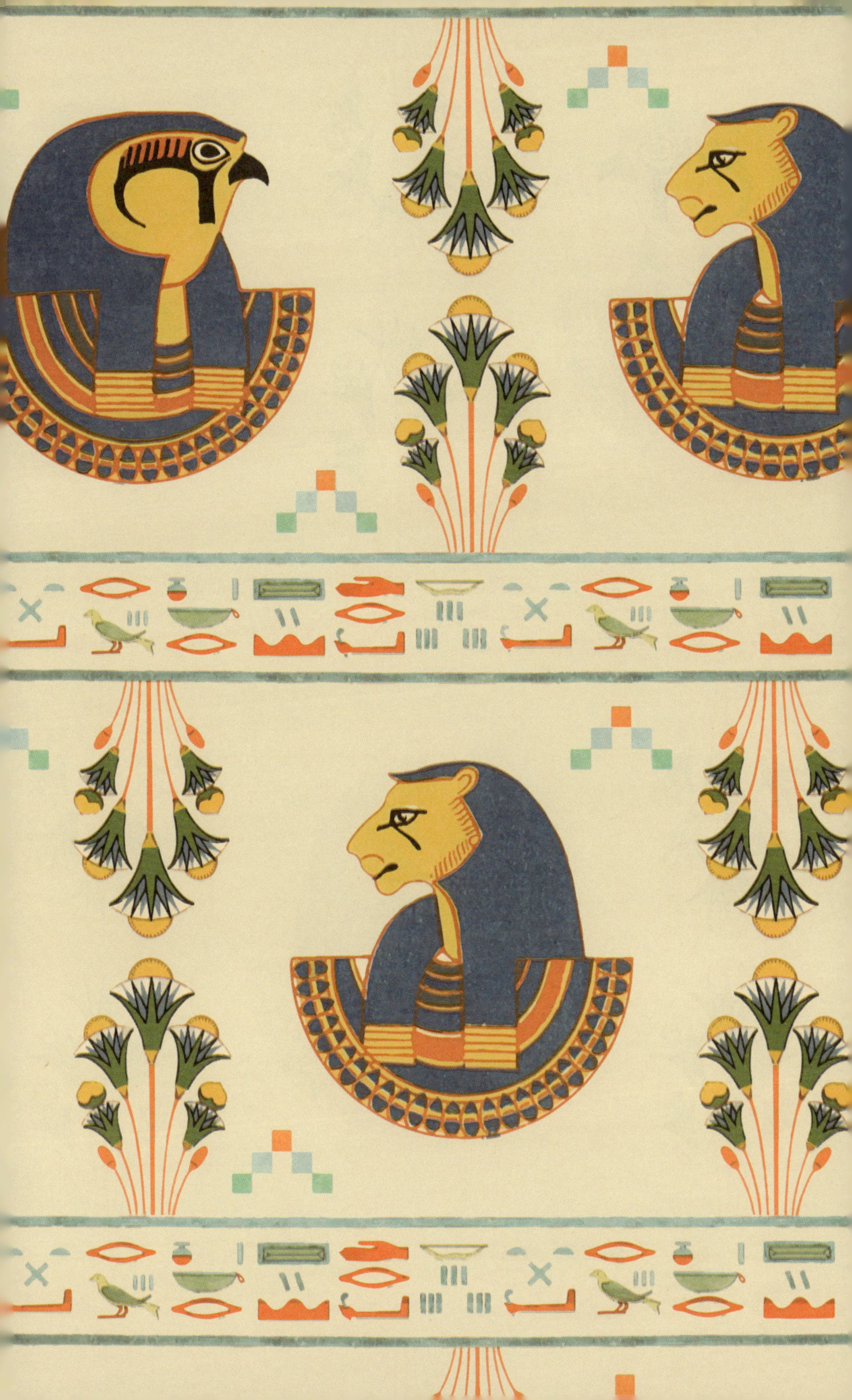

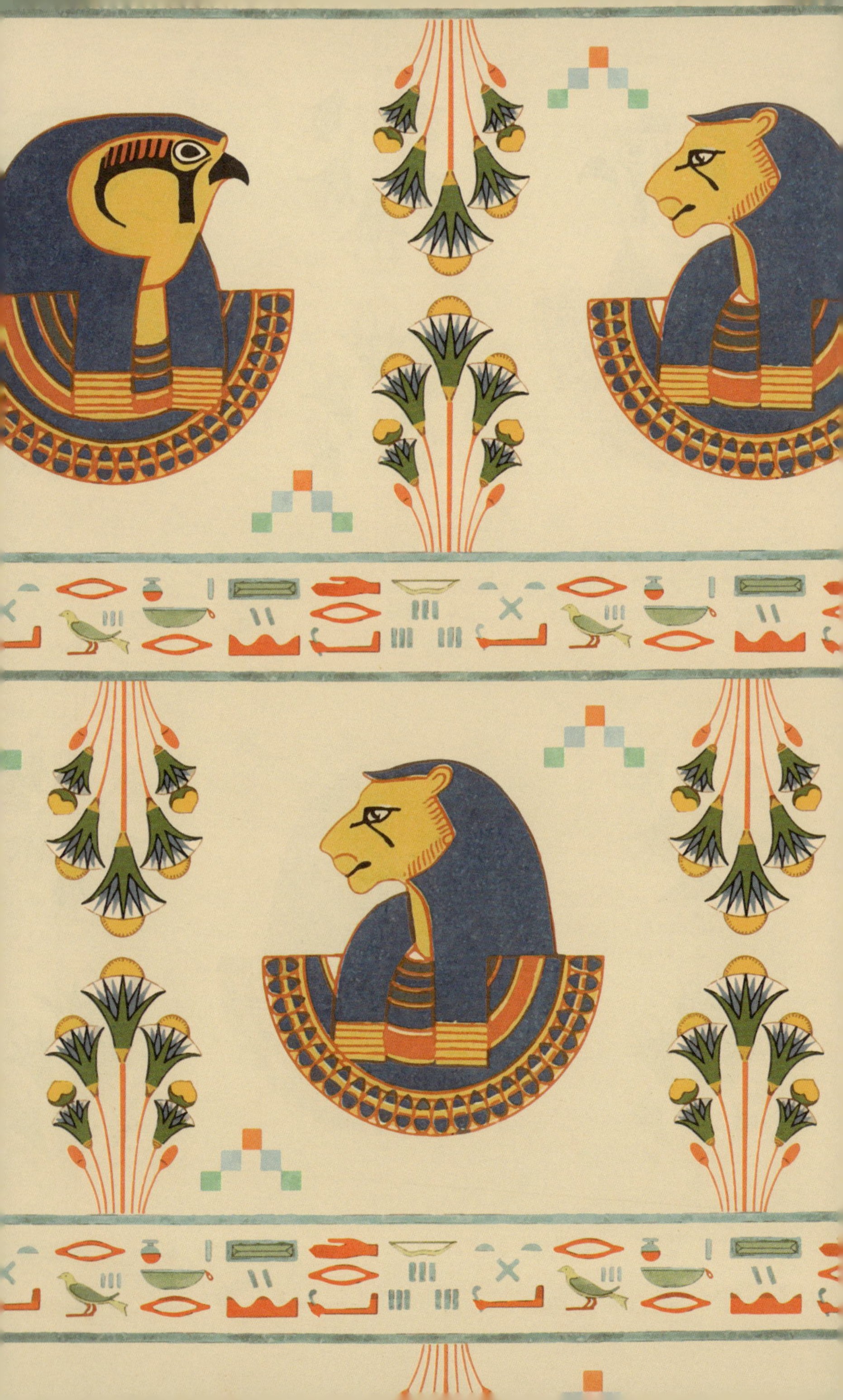

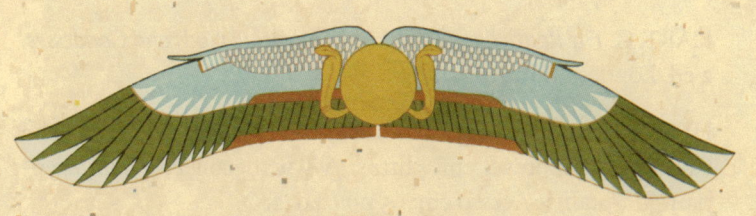

REFERÊNCIAS

ANCIENT EGYPT ONLINE. *Hemsut*. Disponível em: <https://ancientegyptonline.co.uk/hemsut/>. Acesso em: 02 out. 2021.

_____. *Serqet*. Disponível em: <https://ancientegyptonline.co.uk/serqet/>. Acesso em 15 nov. 2021.

ANCIENT EGYPT PHARAOHS. *Anat*. Disponível em: <https://ancientegyptpharaohs.blogspot.com/2011/10/anat.html>. Acesso em 14 out. 2021.

BECKER, M. Popular Religion in Asyut. In: KAHL, J. *Ancient Asyut: The First Synthesis after 300 Years of Research*. Wiesbaden: Harrassowitz, 2007. p. 141.

CHAD WILKEN'S. *Antiga Mitologia Egípcia*. Disponível em: <https://chadwilken.com/pt/antiga-mitologia-eg%C3%ADpcia/>. Acesso em: 15 set. 2021.

DUNN, J. *An Overview of the Ancient Egyptian Cult*. Tour Egypt. Disponível em: <http://www.touregypt.net/featurestories/cults.htm>. Acesso em: 15 set. 2021.

_____. *Horus, the God of Kings in Ancient Egypt*. Tour Egypt. Disponível em: <http://www.touregypt.net/featurestories/horus.htm>. Acesso em: 31 out. 2021.

FAVARD-MEEKS, C; MEEKS, D. *La vita quotidiana degli Egizi e dei loro dèi*. Milão: Bur Rizzoli, 2018.

FITZENREITER, M. *Zum Toteneigentum im Alten Reich*. v. 4. Schriften zur Ägyptologie. Berlim: Achet Verlag, 2004.

HART, G. *The Routledge Dictionary of Egyptian Gods and Goddesses.* 2 ed. London: Routledge, 2005.

HENKE, K. *9 Surprising Facts about the Egyptian God Ptah.* The Collector. Disponível em: <https://www.thecollector.com/egyptian-god-ptah/>. Acesso em: 05 nov. 2022.

HILL, J. *Anat.* Disponível em: <https://ancientegyptonline.co.uk/anat/>. Acesso em: 3 nov. 2021.

_____. *Nephthys.* Disponível em: <https://ancientegyptonline.co.uk/nephthys/>. Acesso em: 3 nov. 2021.

_____. *Shai.* Ancient Egypt Online. Disponível em: <https://ancientegyptonline.co.uk/shai/>. Acesso em: 15 nov. 2021.

_____. *Wepwawet.* Ancient Egypt Online. Disponível em: <https://ancientegyptonline.co.uk/wepwawet/>. Acesso em: 15 nov. 2021.

KAELIN, O. *Gods in Ancient Egypt.* Disponível em: <https://oxfordre.com/religion/oso/viewentry/10.1093$-002facrefore$002f9780199340378.001.0001$002facrefore-9780199340378-e-244>. Acesso em: 15 set. 2021.

LICHTHEIM, M. *Ancient Egyptian Literature. Volume II: The New Kingdom.* Los Angeles: University of California Press, 1976. p. 107-9.

_____. *Literatura egípcia antiga. Volume III: Late Period.* Los Angeles: University of California Press, 1980. p. 91.

LIVRO EGÍPCIO DOS MORTOS. *O capítulo de dar ar em Khert-Neter.* Traduzido por E.A. Wallis Budge. Disponível em: <http://www.historia.seed.pr.gov.br/arquivos/File/fontes%20historicas/livro_egipcio_dos_mortos.pdf>. Acesso em 15. nov. 2021.

LIZART SPIRIT. *Mitologia Egípcia.* Disponível em: <http://lizartspirit-leesan.blogspot.com/2017/02/mitologia-egipcia.html>. Acesso em 31 out. 2021.

MARK, J. *Amun.* World History Encyclopedia. Disponível em: <https://www.worldhistory.org/amun/>. Acesso em: 10 jun. 2021.

_____. *Deuses egípcios* – a lista completa ' Origens Antigas. Disponível em: <https://edukavita.blogspot.com/2015/04/deuses-egipcios-lista-completa-origens.html>. Acesso em: 04 jun. 2021.

_____. *Thoth*. World History Encyclopedia. Disponível em: <https://www.worldhistory.org/Thoth/>. Acesso em: 16 nov. 2021.

MATEMÁTICA PARA FILÓSOFOS. *Seshat, A Senhora da Escrita*. Disponível em: <https://www.matematicaparafilosofos.pt/seshat-a-senhora-da-escrita/>. Acesso em: 31 out. 2021.

MITOLOGIA HI7. *Aker*. Disponível em: <https://mitologia.hi7.co/aker-57ac363405300.html>. Acesso em 01 out. 2021.

_____. *Anhur*. Disponível em: <https://mitologia.hi7.co/anhur-57ac35f1779a4.html>. Acesso em 04 jun. 2021.

MORET, A. *Le rituel du culte divin journalier en Egypte:* d'apres les papyrus de Berlin et les textes du temple de Seti 1er, a Abydos. Londres: Forgotten Books, 2018.

MULTIPLOS CAMINHOS. *Deuses e deusas do antigo Egito*. Disponível em: <http://multiploscaminhos.blogspot.com/2015/05/deuses-e-deusas-do-antigo-egito.html>. Acesso em: 08 out. 2021.

NOVO DESPERTAR. *Heh & Hauhet – Personificação do infinito ou eternidade*. Disponível em: <https://zubiaks.weebly.com/heh--hauhet---personificaccedilatildeo-do-infinito-ou-eternidade.html>. Acesso em

OSIRIS NET. *The Four Children of Horus*. Disponível em: < https://www.osirisnet.net/dieux/fils_horus/e_fils_horus.htm>. Acesso em: 05 out. 2021.

PORTAL ALEXANDRIA. *Anúbis (divindade egípcia)*. Disponível em: < https://alexandriatraducoes.wordpress.com/2019/03/04/anubis-divindade-egipcia/>. Acesso em 17 out. 2021.

PORTAL DOS MITOS. *Amentet*. Disponível em: <https://portal-dos-mitos.blogspot.com/2021/06/amentet.html>. Acesso em 07 out. 2021.

_____. *Hathor*. Disponível em: <https://portal-dos-mitos.blogspot.com/2019/12/hathor.html>. Acesso em 10 nov. 2021.

QUIRKE, S. *Exploring Religion in Ancient Egypt*. Oxford: Wiley-Blackwell, 2015.

SEAWRIGHT, C. *Egypt: The Gods of Ancient Egypt - Set (seth, setekh, sut, sutekh, suty)*. Disponível em: <http://www.touregypt.net/godsofegypt/set.htm>. Acesso em: 15 nov. 2021.

STRINGFIXER. *Imhotep*. Disponível em: <https://stringfixer.com/pt/Imhotep>. Acesso em: 05 nov. 2021.

The Book of the Dead of the Chantress of Amon, Mutem-meres (Papyrus CtYBR inv. 2754 + Papyrus Louvre N. 3132). Disponível em: <https://www.jstor.org/stable/40000802>. Acesso em: 31 out. 2021.

THE COLLECTOR. *Meretseger: The Frightful Egyptian Cobra Goddess*. Disponível em: < https://www.thecollector.com/meretseger/>. Acesso em: 31 out. 2021.

The Papyrus of Ani: The Egyptian Book of the Dead. *[The Chapter Of] Making the Transformation into the Crocodile-God*. Disponível em: <http://oaks.nvg.org/ani-papyrus.html>. Acesso em: 21 nov. 2021.

THINK AFRICA. *Temple of Sais: African medical school 3000 – 525 BCE*. Disponível em: <https://thinkafrica.net/sais-story-of-pesehet/>. Acesso em: 15 nov. 2021.

THPANORAMA. *Os 44 Deuses Egípcios Mais Importantes*. <https://pt.thpanorama.com/blog/historia/los-44-dioses-egipcios-ms-importantes.html>. Acesso em 05 out. 2021.

TOBIN, V. A. *Theological Principles of Egyptian Religion*. Pieterlen: Peter Lang, 1990.

TRAUNECKER, C. *The Gods of Egypt*. Nova Iorque: Cornell University Press, 2001.

UNED. *Los Amuletos egipcios:La diosa Wadjet*. Disponível em: <https://www2.uned.es/geo-1-historia-antigua-universal/egipto_magia_amuletos%205_Wadjet_cobra.htm>. Acesso em: 15 nov. 2021.

UNIVERSITY COLLEGE LONDON. *The Book of the Dead, chapter 151*. Disponível em: <https://www.ucl.ac.uk/museums-static/digitalegypt/literature/religious/hpres151.html>. Acesso em: 31 out. 2021.

WIKI CULTURAMA. *Guerra cartaginesa ' amon » origens antigas*. Disponível em: <https://edukavita.blogspot.com/2016/06/natchez-trace-origens-e-historia.html>. Acesso em: 09 nov. 2021.

WILLOCKX, S. *Magic and Religion in Ancient Egypt: part II "an ennead of enneads"*. Disponível em: < http://www.egyptology.nl/pdf/magic/2ndprevw.pdf>. Acesso em 13 out. 2021.

WORLD HISTORY. *Egyptian Mythology*. Disponível em: <https://www.worldhistory.org/Egyptian_Mythology/>. Acesso em: 03 nov. 2021.

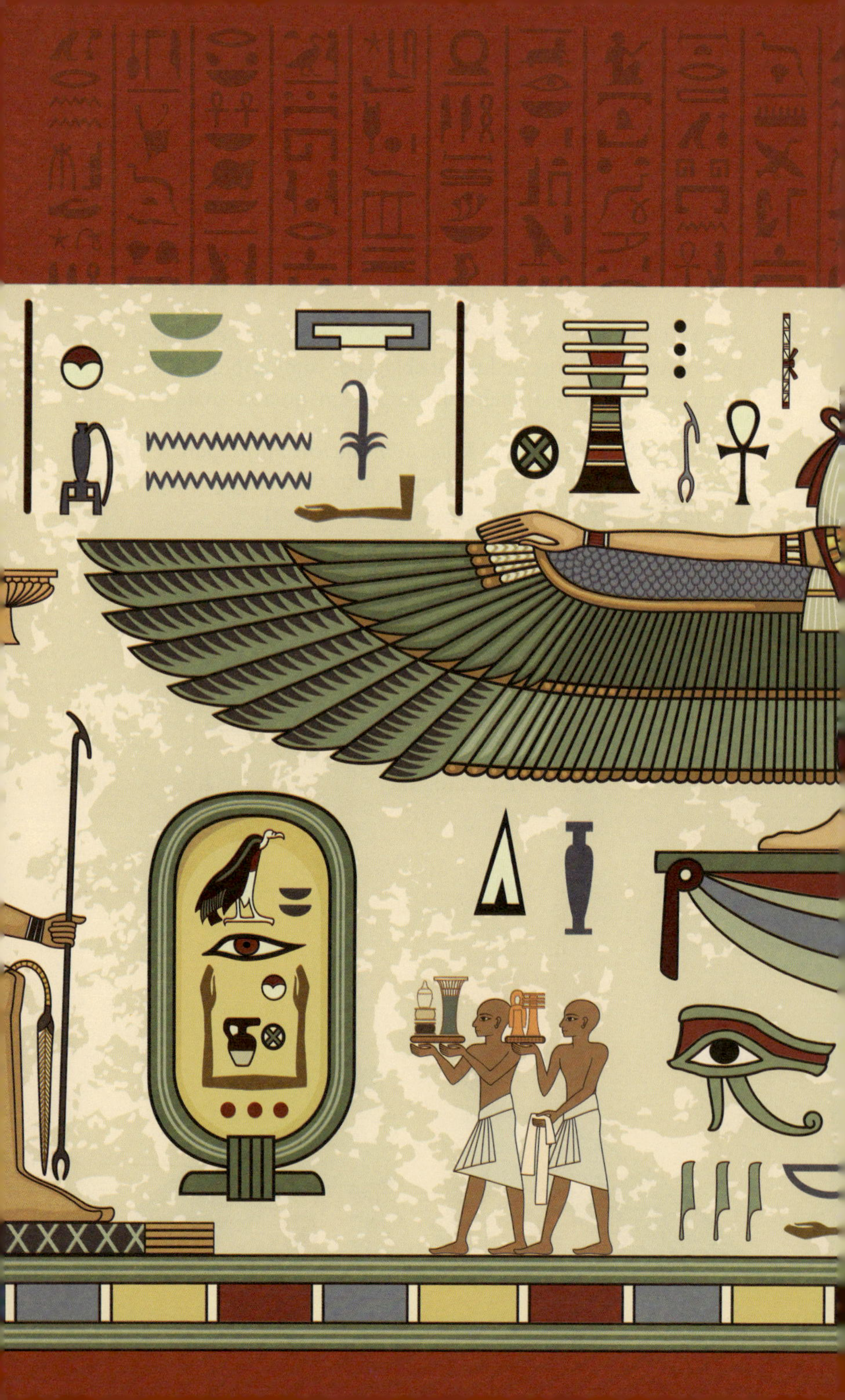

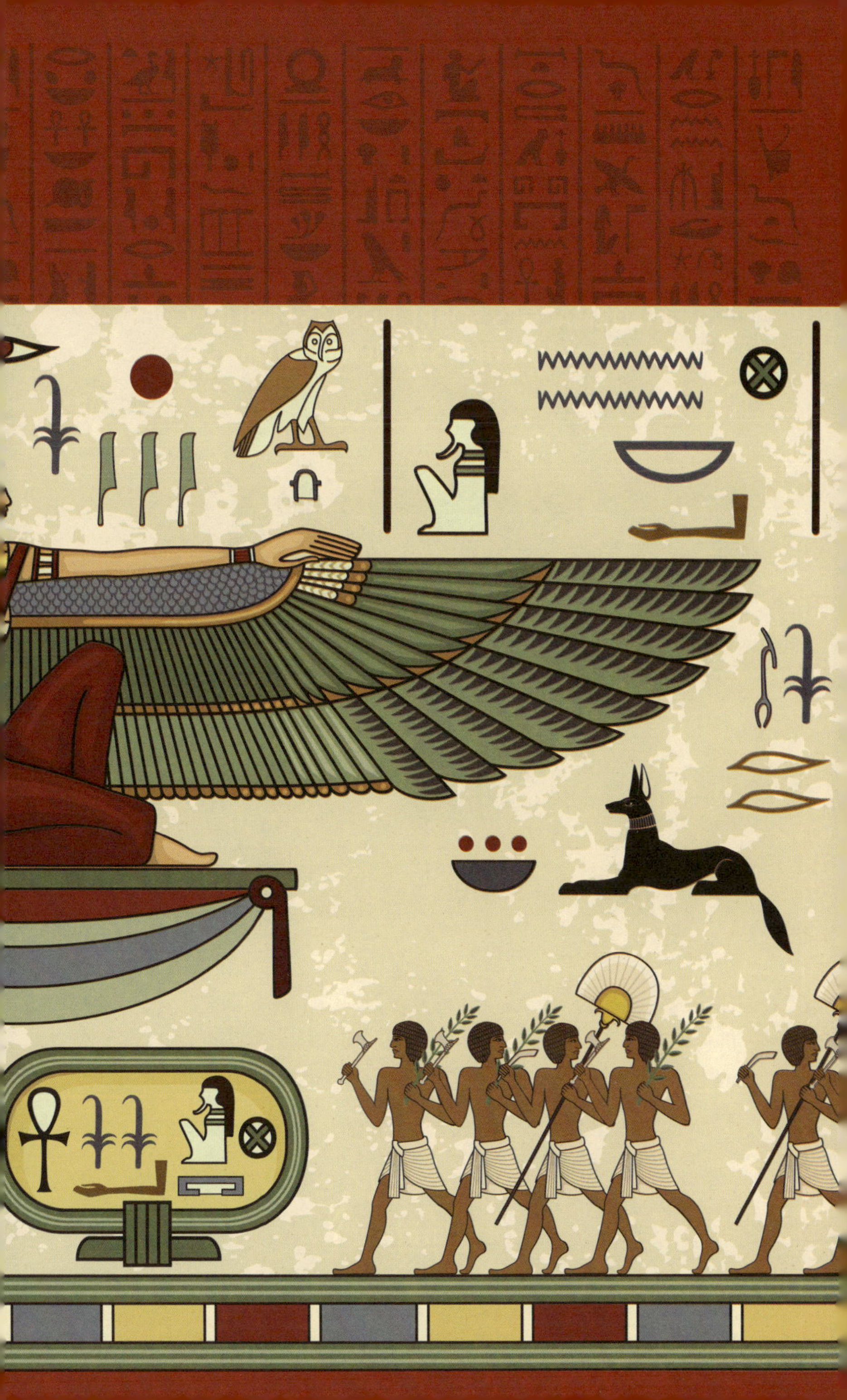

INFORMAÇÕES SOBRE NOSSAS PUBLICAÇÕES
E ÚLTIMOS LANÇAMENTOS

🌐 editorapandorga.com.
f /editorapandorga
📷 @pandorgaeditora
🐦 @editorapandorga

PandorgA

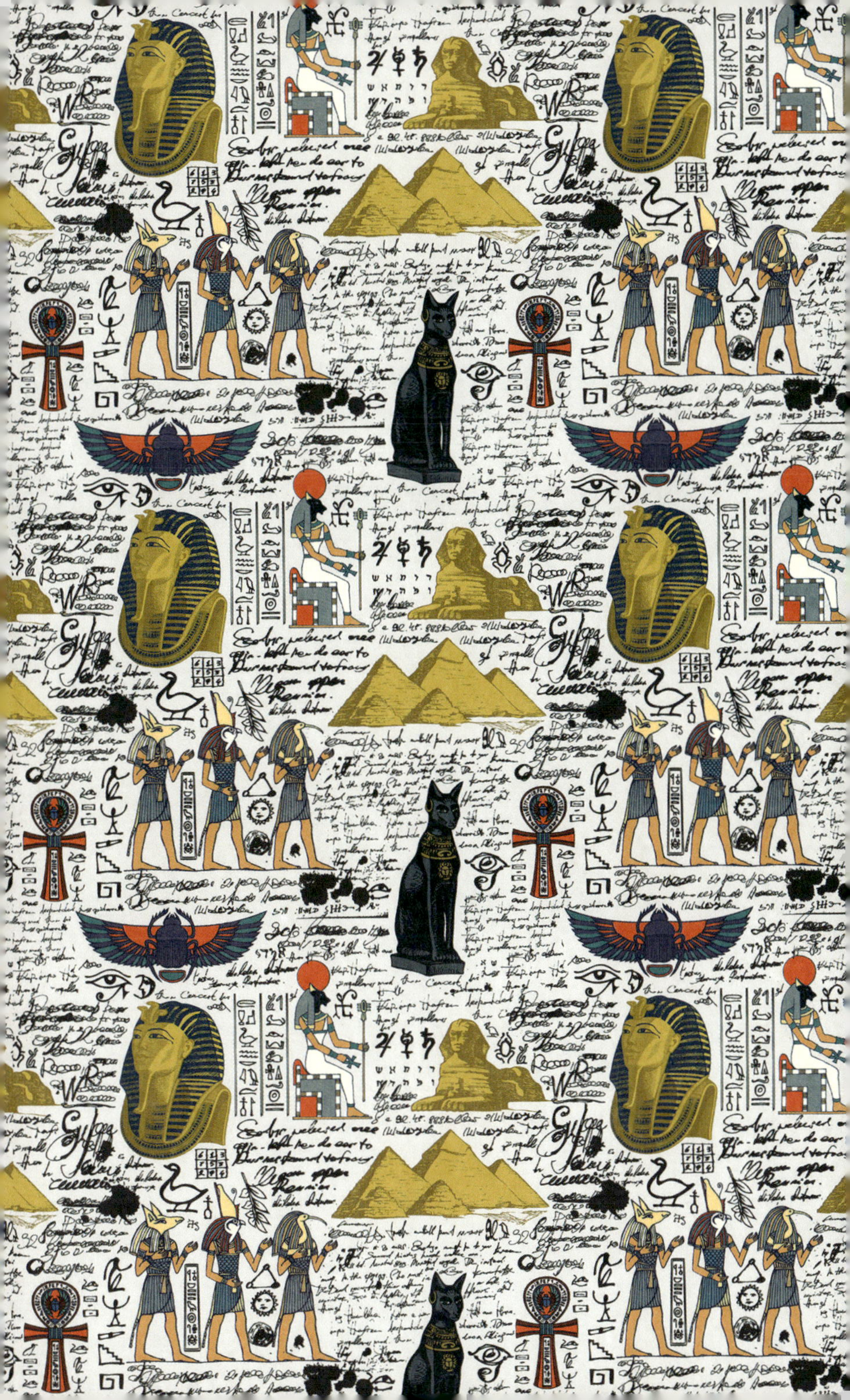

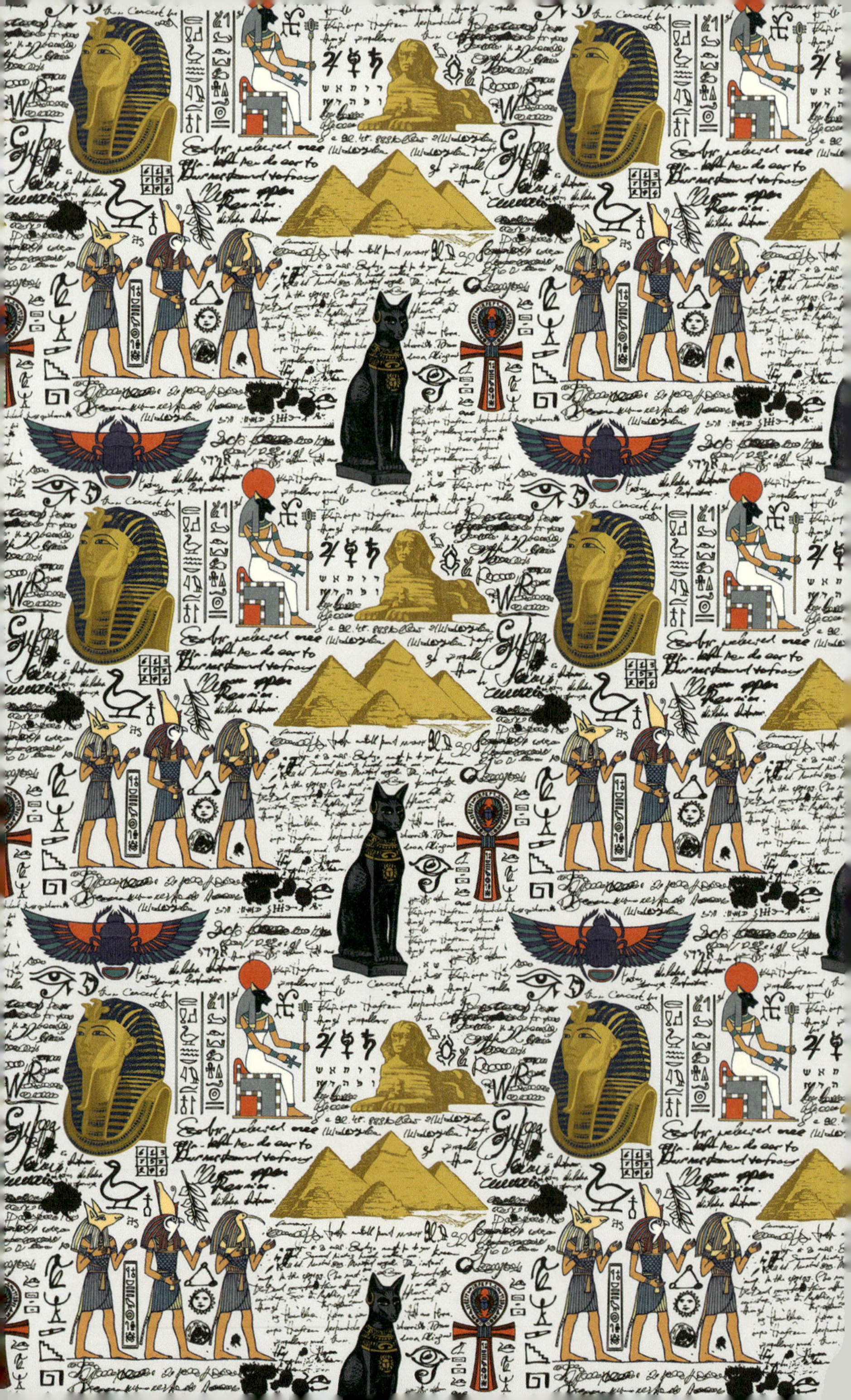